Y0-BQI-879

過敏免疫全書

中華民國免疫學會理事長
國防醫學院院長 **張德明**◎總策劃

中華民國免疫學會專家群◎合　著

目錄《過敏免疫全書》

contents

Part 2
過敏的診斷用藥篇

Part 3 免疫的學理篇

Part 4
免疫的診斷用藥篇

特別收錄

作者群簡介

作者	現任	學經歷
張德明 (總策劃)	• 國防醫學院院長 • 國防醫學院醫學系內科學科教授 • 中華民國免疫學會理事長 • 台灣內科醫學會監事委員會召集人 • 中華民國風濕病醫學會理事 • 國防醫學院生命科學研究所所長 • 國家衛生研究院董事 • 考試院考選部高等考試典試委員	• 國防醫學院醫學士 • 美國哈佛大學生物學碩士 • 美國哈佛醫學院研究員 • 台灣師範大學衛生教育博士 • 美國風濕學院院士 • 三軍總醫院風濕免疫科主任 • 三軍總醫院民診處主任 • 三軍總醫院內科部主任 • 三軍總醫院行政副院長 • 國防醫學院醫學系主任 • 三軍總醫院教學副院長 • 三軍總醫院醫療副院長兼執行官 • 三軍總醫院院長

（按姓氏筆劃排序）

作者	現任	學經歷
王志堯	• 成功大學醫學院附設醫院小兒過敏科主任	• 英國牛津大學生化免疫學博士 • 成功大學醫學院小兒學科教授
司徒惠康	• 國防醫學院微生物及免疫學研究所教授 • 中華民國微生物免疫感染雜誌免疫學總編輯 • 國防醫學院教育長	• 國防醫學院醫學士 • 美國史丹福大學免疫學博士 • 國防醫學院微免學科教授 • 國防醫學院醫工學科主任 • 國防醫學院醫學科學研究所所長 • 三軍總醫院醫學研究部主任 • 國防醫學院教育長
朱士傑	• 三軍總醫院急診醫學部部主任 • 國防醫學院醫學系副教授	• 國防醫學院醫學士 • 美國西雅圖華盛頓大學進修 • 三軍總醫院風濕免疫過敏科主治醫師

作者群簡介

作者	現任	學經歷
江伯倫	• 台大醫學院臨床醫學研究所教授 • 台大醫學院小兒科教授	• 台大醫學院醫學士 • 美國加州大學戴維斯分校免疫學博士 • 台灣兒童過敏免疫和風濕病學會理事長 • 中華民國免疫學會理事長
何輝煌	• 長庚醫院風濕過敏免疫科主治醫師	• 中華民國免疫學會監事 • 中華民國風濕病醫學會監事
余家利	• 台大醫學院分子醫學研究所教授兼台大醫院風濕免疫暨過敏科主任	• 日本東京大學醫學博士 • 台大醫學院分子醫學研究所教授兼所長
吳自強	• 高雄長庚兒童過敏免疫風濕科主治醫師	• 陽明大學醫學院醫學士 • 高雄長庚醫院兒童過敏氣喘免疫科研究員
吳詹永嬌	• 基隆長庚醫院風濕過敏免疫科主任 • 中華民國免疫學會監事 • 中華民國風濕病醫學會監事	• 美國紐約州立大學石溪分校醫學院醫學系 • 林口長庚醫院風濕過敏免疫科主治醫師
李文益	• 林口長庚醫院兒童過敏氣喘風濕科主治醫師 • 長庚大學副教授 • 先天免疫缺陷病照護暨研究中心負責醫師	• 長庚大學臨床醫學研究所博士 • 美國西雅圖華盛頓大學先天免疫缺陷病博士後研究員

作者群簡介

作者	現任	學經歷
周昌德	• 台北榮民總醫院過敏免疫風濕科主治醫師	• 三軍總醫院內科部住院醫師、總醫師 • 台北榮民總醫院過敏免疫風濕科主任 • 中華民國風濕病學會理事長
林以行	• 成功大學醫學院微免所教授	• 美國天普大學醫學院微免博士 • 成功大學醫學院微免所講師 • 成功大學醫學院微免所副教授
林秋烽	• 成功大學醫學院臨床醫學研究所助理教授	• 成功大學醫學院基礎醫學所博 • 成功大學醫學院臨床醫學所助理教授
林璧鳳	• 台灣大學生化科技學系教授	• 台灣大學農業化學系學士 • 日本東京大學農藝化學系碩士 • 美國柏克萊加州大學營養科學系博士 • 台灣大學農業化學系副教授、教授
姚宗杰	• 林口長庚醫院兒童過敏氣喘風濕科主治醫師 • 長庚大學醫學系部定助理教授	• 長庚大學臨床醫學研究所醫學博士 • 台灣兒童過敏氣喘及免疫學會理事
洪志興	• 高雄醫學大學附設紀念醫院小兒過敏免疫科主任	• 三軍總醫院小兒部主治醫師 • 教育部部定副教授 • 美國約翰霍普金斯大學氣喘過敏中心研究員

作者群簡介

作者	現任	學經歷
孫光蕙	• 陽明大學醫學生物技術暨檢驗學系教授	• 陽明大學微生物暨免疫學研究所博士 • 陽明大學醫技系暨醫學生物技術研究所主任
徐世達	• 台灣氣喘衛教學會理事長 • 台灣兒童過敏氣喘及免疫學會理事長 • 台灣氣喘之友協會理事長	• 台北醫學大學醫學士 • 美國猶他大學過敏免疫科研究員
徐麗君	• 成功大學醫學院醫學檢驗生物技術學系助理教授	• 成功大學微生物及免疫學研究所博士後研究員 • 美國 Guthrie Research Institute 分子免疫學實驗室博士後研究員 • 成功大學微生物及免疫學研究所兼任助理教授
張峰義	• 國防醫學院醫學系內科學科教授 • 三軍總醫院內科部感染科主任	• 國防醫學院醫學士 • 國防醫學院醫學科學研究所博士 • 國防醫學院醫學系內科學科助教 • 三軍總醫院內科部住院醫師、住院總醫師、主治醫師 • 國防醫學院醫學系內科學科副教授 • 國匹茲堡大學研究員
張曉寧	• 台北榮民總醫院過敏免疫風濕科主治醫師	• 國防醫學院醫學系畢業 • 美國內布拉斯加克來頓大學免疫科研究員

作者群簡介

作者	現任	學經歷
許秉寧	• 台大醫學院免疫所教授兼所長 • 台大醫院醫學研究部副主任	• 台大醫學院醫學士 • 美國Tufts大學免疫學博士 • 台大醫學院免疫所助理教授、副教授 • 台大醫院內科部主治醫師
陳力振	• 林口長庚兒童醫學中心助理教授級主治醫師 • 林口長庚兒童醫學中心兒童過敏氣喘風濕科主任	• 林口長庚兒童醫學中心兒童內科部主治醫師 • 美國約翰霍浦金斯大學過敏氣喘中心研究員
陳念榮	• 陽明大學微免所助理教授	• 陽明大學微免所免疫學博士 • 加拿大多倫多大學安大略腫瘤研究所博士後研究員
陳怡行	• 台中榮民總醫院過敏免疫風濕科主治醫師兼教學部副部主任 • 國立陽明大學內科助理教授 • 國防醫學院醫學系臨床副教授	• 台中榮民總醫院內科部住院醫師及過敏免疫風濕科總醫師 • 美國約翰霍浦金斯大學醫學院過敏氣喘中心（JHAAC）訪問學者 • 美國哈佛大學醫學院「醫學教育與健康照顧領導人講習班」進修
陳茂源	• 台大醫院內科部主治醫師	• 台大醫學院醫學士
陳得源	• 台中榮民總醫院免疫風濕科主任 • 台中榮民總醫院內科部副主任 • 陽明大學醫學系副教授 • 中山醫學大學醫學系副教授 • 中華民國免疫學會理事 • 中華民國風濕病醫學會理事	• 陽明大學醫學士 • 陽明大學臨床醫學博士 • 台中榮民總醫院免疫風濕科主治醫師 • 荷蘭阿姆斯特丹大學關節鏡中心進修

作者群簡介

作者	現任	學經歷
黃璟隆	• 林口長庚兒童醫學中心兒童內科部主任 • 長庚大學醫學系教授 • 台灣兒科醫學會理事 • 中華民國免疫學會理事 • 亞太兒童過敏呼吸病學會理事 • 世界過敏氣喘研究台灣代表	• 長庚兒童醫院兒童過敏氣喘風濕科主治醫師 • 加拿大英屬哥倫比亞大學兒童風濕病學研究員 • 長庚醫院兒科住院醫師 • 台灣兒童過敏氣喘學會理事長
楊倍昌	• 成功大學醫學院微生物及免疫學研究所教授兼所長	• 德國杜賓根大學自然科學博士 • 美國富爾布萊特訪問學者
楊崑德	• 高雄長庚兒童過敏免疫風濕科主任 • 高雄長庚醫院醫研部主任 • 長庚大學教授	• 國防醫學院醫學士、醫學博士 • 美國猶他大學臨床免學研究員與講師 • 哈佛、約翰霍普金斯大學研究員 • 曾任國防醫學院助教、副教授、教授 • 曾任高雄長庚醫院副院長 • 曾任台灣兒童過敏氣喘免疫學會理事長
楊曜旭	• 台大醫院小兒部主治醫師 • 台大醫院小兒過敏免疫風濕科主任	• 中國醫藥學院醫學士 • 台大臨床醫學研究所博士 • 美國加州大學洛杉磯分校博士後研究 • 台大醫院小兒科臨床助理教授
葉國偉	• 林口長庚醫院兒童過敏氣喘中心主任 • 長庚大學／林口長庚醫院助理教授級主治醫師	• 林口長庚醫院兒童內科部住院醫師 • 台灣兒童氣（棄）喘之友會理事長

作者群簡介

作者	現任	學經歷
劉明煇	• 成功大學醫院內科教授兼附設醫院過敏免疫風濕科主任	• 台大醫學院醫學士
歐良修	• 林口長庚醫院兒童過敏氣喘風濕科助理教授級主治醫師 • 台灣兒童棄喘之友會理事長 • 台灣兒童過敏氣喘及免疫學會理事 • 長庚大學醫學生榮譽導師 • 台兒醫誌繼續教育編輯委員	• 台北醫學院醫學士 • 林口長庚醫院小兒科住院醫師 • 林口長庚醫院兒童過敏氣喘風濕科研究員 • 台北長庚醫院小兒科主治醫師 • 美國科羅拉多州丹佛National Jewish Medical & Research Center研究員
蔡明霖	• 三軍總醫院眼科部視力保健科主任 • 教育部定助理教授	• 美國耶魯大學眼科中心臨床研究員 • 國防醫學院醫學科學研究所博士
蔡長祐	• 台北榮民總醫院過敏免疫風濕科主治醫師 • 陽明大學醫學系教授	• 台大醫學院醫學士 • 陽明大學臨床醫學研究所博士 • 美國加州Scripp研究所進修
蔡智能	• 嘉義聖馬爾定醫院過敏免疫風濕科主治醫師	• 台大醫學院醫學士
蔡肇基	• 台中榮民總醫院免疫風濕科主治醫師 • 台中榮民總醫院研究部主任	• 台北長庚醫院住院醫師 • 台北榮民總醫院過敏免疫風濕科總醫師 • University of London英國倫敦帝國理工學院心肺研究所免疫學博士 • 英國Brompton Hospital心肺研究所臨床研究員 • 台北榮民總醫院過敏免疫風濕科主治醫師 • 國泰醫院過敏免疫科主任

作者群簡介

作者	現任	學經歷
蕭孟芳	• 聖多美瘧疾防治計劃主持人	• 英國倫敦大學倫敦衛生及熱帶醫學院哲學博士 • 國防醫學院預防醫學研究所所長 • 光田綜合醫院醫學研究部主任及感染症專科醫師 • 弘光科技大學副校長 • 紐西蘭免疫科技公司臨床研究部主任
賴振宏	• 國防醫學院內科學系教授 • 中華民國免疫學會秘書長 • 三軍總醫院風濕免疫過敏科主任醫師	• 美國醫師執照考試合格（FMGEMS） • 美國德州醫學中心貝勒醫學院免疫學博士 • 國防醫學院內科學系教授 • 中華民國免疫學會秘書長
謝奇璋	• 成功大學醫學院教授	• 台大醫學院醫學士 • 哈佛大學免疫學博士
藍忠亮	• 台中榮民總醫院副院長 • 中興大學生物醫學研究所教授 • 台北醫學大學醫學系教授 • 中山醫學大學醫學系教授	• 台中榮民總醫院內科部部主任 • 台中榮民總醫院免疫風濕科主任 • 中華民國免疫學會理事長 • 中華民國風濕病醫學會理事長 • 美國約翰霍浦金斯大學風濕科研究員
羅淑芬	• 林口長庚醫院風濕過敏免疫科臨床教授 • 中華民國風濕病醫學會理事長 • 中華民國免疫學會理事 • 中華民國骨質疏鬆症學會理事	• 台大醫學院醫學士 • 台大醫院內科住院醫師、主治醫師 • 美國紐約聖路克-羅斯福醫院研究員 • 林口長庚醫院風濕過敏免疫科主任 • 長庚大學內科系講師、副教授 • 中華民國風濕病雜誌總編輯

《過敏免疫全書》出刊誌念：

知識啟迪　精華實用

造福蒼生　醫學寶典

楊照雄　敬賀

中華民國免疫學會前理事長

【推薦序1】
讓民眾更了解免疫疾病

免疫學的蓬勃發展應是近五十年的事，台灣在這方面並未落後於國際。民國55年國防醫學院增設「醫用免疫學」課程，接著台大微生物研究所和省立血清疫苗研製所分別開講「高等免疫學」、「應用免疫學」。63年國防醫學院成立過敏病中心，65年榮民總醫院成立免疫病科，67年6月3日中華民國免疫學會便誕生了。

免疫學會成立後，定期舉辦「基礎免疫學技術研習會」和「臨床免疫訓練班」，很快便吸引了很多學者和醫師，目前已有基本會員698人。免疫學技術已是生物醫學研究的主要工具之一，免疫病更是醫界的熱門課題，免疫學廣為流傳，一般民眾對「免疫」兩字也能朗朗上口。

現代免疫學範圍廣泛，並不限於傳染病免疫，尚包括過敏病、風濕病、自體免疫病、免疫缺乏病和腫瘤免疫、移植免疫等，這些疾病往往不是一般民眾能夠確切了解的。免疫學會有鑑於此，很早就提出出版一本相關通俗書籍的構想，針對其中與大眾健康密切相關的知識，用深入淺出的文句做系統性介紹。去年5月，張德明理事長在理事會提出詳細計畫，經與會人員一致通過，選出四十一個題目，並定書名為《過敏免疫全書》。會中各理、監事紛紛主動認領一至二個題目，有的親自撰寫，有的推荐熟識的專家。會後經祕書張榛云女士奔走協調，祕書長賴振宏醫師整合彙編，書終於出版問世。

書成之日，理事長索序於我，忝為創會資深會員，義不容辭，故樂為之。

韓韶華

（中華民國免疫學會前理事長）

【推薦序2】

促進社會大衆對過敏免疫學的了解及健康

過去過敏對一般大眾、臨床醫師及過敏學研究者來說，曾經是一門令人困擾的學科，經過長期的研究及經驗累積，現在的過敏是一門包括免疫學、生理學及藥物學的獨立醫學學門。隨著細胞及分子生物學之進步，我們對過敏疾病之免疫學機轉有了新的了解，對這些疾病分子機轉的了解，則有助於治療過敏疾病。

很高興知道免疫學會集合全國過敏免疫專家，編撰一本屬於台灣本地的免疫 – 過敏免疫學實用寶典，本書的出版將對全國醫護人員及病人與家屬有極大的幫助，從而促進社會大眾對過敏免疫學的了解及健康。

過敏疾病包括氣喘、濕疹、過敏性鼻炎及蕁麻疹……等，隨著工業化及空氣污染，每年有增加之趨勢，尤其小兒氣喘人數更是大幅度增加，其原因及致病機轉，臨床表現及治療都值得大家研究，並與社會大眾分享這些新的過敏研究成果，造福廣大過敏疾病之病人。

本書的出版代表台灣醫學界在過敏免疫學方面，有一定程度的成果及表現，除了提供大家過敏常識外，也希望能喚起年輕學子將來投入這個領域的研究及臨床病人的照顧，本人目睹台灣免疫學會之創立、成長及茁壯，台灣學界進步一日千里，甚為欣慰。

蔡嘉哲
（中山醫學大學教授）
（亞太免疫學會祕書長）

【推薦序3】
幫助患者了解自身的病情

免疫學會一直都是學術地位很崇高的醫學團體。無論是醫師或是生物醫學相關學者，只要是對免疫學的研究有興趣的專家同好，都會被熱情地邀請入會。這個高貴的情操，挑起了學會張理事長及賴祕書長對罹患過敏或免疫疾病患者的教育熱忱。本書更在理監事會的高度支持下定案決行。

要釐定四十二個重要的章節編纂成冊，是個很大的學問。然而要拜託四十多位專家、學者來撰稿，更是一大挑戰。如今，收稿已經如期完成，除了印證本學會人才濟濟之外，更突顯出本學會會員們真的在百忙當中，默默地善盡社會責任。

本書並非死氣沉沉的醫學八股，更非硬梆梆的封建讀物。它是一本活潑生動跳脫學院派的入門書。即使是「師」字輩的資深過敏免疫專家，看到本書，也會覺得有「開卷有益」的效用。

患者及其家屬自行上網蒐集資訊並非全無風險，網路上的醫學資訊或許太陳舊，或許不正確。如果時運不佳，恐會耽誤病情。本書係由國內最具權威的各路免疫專家及醫師們共同撰寫匯集成冊。罹患過敏或免疫疾病的患者，除了人手一冊之外，應該多加閱讀相關的章節，之後再與主治醫師討論病情及研擬治療方針。患者在享受便利的診療之外，更應善盡患者充分了解本身病情的基本義務。

在本書即將付梓之際，除了恭賀之外，還充滿感動之情。衷心感謝所有撰稿的專家學者及醫師們，能以患者的最大利益為念。歷史不會忘記您們的！

余家利
（台大醫院風濕免疫暨過敏科主任）

【推薦序4】

可以更進一步了解過敏免疫反應

免疫疾病如風濕、過敏和免疫不全等，這幾年來一直都是國民健康上的重要問題，而且一般民眾對免疫學和免疫疾病也一直都有著不是很容易了解的困擾。所以，如果有一本能夠深入淺出地介紹相關的免疫知識，而且對免疫疾病的機轉和治療有些初步的了解，將有助於大家對免疫學和免疫疾病有更深入的認識。

這次免疫學會集合了國內在基礎和臨床方面的免疫學專家，介紹免疫系統中的各種免疫細胞功能，讓大家能夠初步地認識免疫反應。同時，也分別介紹了一些常見的免疫疾病，如氣喘、過敏性鼻炎、異位性皮膚炎、蕁麻疹、類風濕關節炎、先天性和後天性免疫不全疾病等。讀者可以由這些免疫疾病的發病機轉、症狀和治療等發展，更進一步來了解各種免疫反應。而且，也找了專家分別為大家介紹運動和營養與免疫之間的關係，讓大家能夠更了解免疫學與日常生活之間的關聯。

本土的教科書和工具書一直都較缺乏，但是這些書對學生和一般民眾的學習，和對疾病的了解，其實都是十分重要的。這次免疫學會能夠集合國內外專家來撰寫這樣一本書，的確可以提供更多的資訊，也可以達到拋磚引玉的目的。當然，這次書中的內容可能還不夠詳盡，未來可能還需要更多的修改和增編，但至少有一個好的起步。再次謝謝學會所有工作人員的辛苦，也希望大家能夠對本書提出更多的建議和指教。

江伯倫

（台大醫學院小兒科教授）

【推薦序5】

增加過敏免疫基本知識，從而提升改善免疫力

中華民國免疫學會成立於民國67年，其宗旨乃為提高國內免疫學水準，及促進學術研究與發展。民國73年9月經國際免疫學會聯盟(IUIS) 投票通過，成為該聯盟第三十三個正式會員國，每年得以參加世界活動，並獲取最新的免疫學資訊。免疫學會目前有會員五百餘人，主要為微生物免疫學科、研究所、成人與小兒過敏免疫風濕學科的專家學者，研究風氣鼎盛，且病人涵蓋兩性各年齡層，為數眾多。因此台灣免疫學不但在世界舞台上有其積極且富建設性的地位，在國內亦是人才濟濟的重要學科。

免疫學是公認在醫學的各個學門中，最（較）艱深的科學，主要是因為它不若心臟、腸胃、胸腔等臨床科別，病人症狀病源明顯，醫病溝通相對較容易。免疫學的抽象，往往使一般民眾如霧裡看花，無法深刻了解體認，也很難用較通俗的言語解釋免疫的異常，故經常在醫病間形成雞同鴨講的尷尬和無奈，加上門診時間緊迫的壓力，更增添免疫疾病的神祕。因而興起藉由中華民國免疫學會的力量，召集過敏免疫學各領域的專家，以較平實的用語，寫下他們對各種免疫細胞、免疫調節、過敏免疫疾病的認知和診療經驗。

人體由細胞組成，血液循環及各組織器官中，有各類型細胞扮演先天和後天免疫的防禦功能，維持身體免於疾病，因此本書特別針對免疫系統各重要細胞和細胞分泌介質做了簡易的介紹，了解這些細胞的功能和運作，就能對免疫系統的基本架構有較清楚的概念。台灣氣候潮濕，過敏疾病是多數人一生中幾乎無法避免的問題，本書也特別設立專章討論各種過敏狀況，相信閱讀後將獲益良多。另一免疫疾病

的大宗，即自體免疫疾病，包括全身性紅斑狼瘡及類風濕性關節炎，都有簡單的討論，尤其營養與免疫力及運動與免疫兩章，具有極高的實用性。

本書匯集了免疫學和過敏免疫疾病基本且重要的知識。希望能增加民眾對這個領域的認識，從而能提升或改善自己的免疫力，以便遠離或控制過敏免疫疾病。期盼您珍藏本書，版稅所得將全數歸入免疫學會，做繼續教育及發展之用。

張德明

（中華民國免疫學會理事長）

Part 1

【過敏的學理篇】

01

B淋巴球的分化與功能

免疫系統調節機制的樞紐

許秉寧（台大醫學院免疫所教授兼所長）

分化不正常，會間接產生免疫功能不全

B淋巴球也就是B細胞，是由骨髓中的造血幹細胞進一步分化而成。骨髓是初級淋巴器官，也就是淋巴細胞最初產生的地方。骨髓中的**造血幹細胞**首先分化為**淋巴幹細胞**，淋巴幹細胞譜系再進一步分化，產生**B淋巴細胞**及**T淋巴細胞**。在B細胞分化的部分，淋巴幹細胞先分化為**前B細胞**，再成為細胞膜上表現有膜抗體的**幼B細胞**。幼B細胞有一個極大的特點，即這些細胞中的抗體基因，也就是免疫球蛋白的基因已經剪貼、重組過了，例如V、D、J等不同段落的不同剪裁組合，再聯結上C橋段，如此活化了幼B細胞中的免疫球蛋白基因，製造出分子一端根植於細胞膜，而分子表現於膜外的免疫球蛋白。

包括人類在內的許多物種均以剪貼、重組免疫球蛋白基因橋段的方式，來製造出超級多種的免疫球蛋白，以應付可能出現的超級多種的抗原，是一種典型的以有限造無窮的手法，真是不得不讓我們讚嘆造物的神奇。

幼B細胞的發生及成熟是在骨髓腔中完成的，我們因而能了解到，骨髓的結構及骨髓腔中的微環境，對B淋巴細胞正常的發育及產生是極為重要的。一些特定先天發育不全的疾病影響了骨髓的結構，或

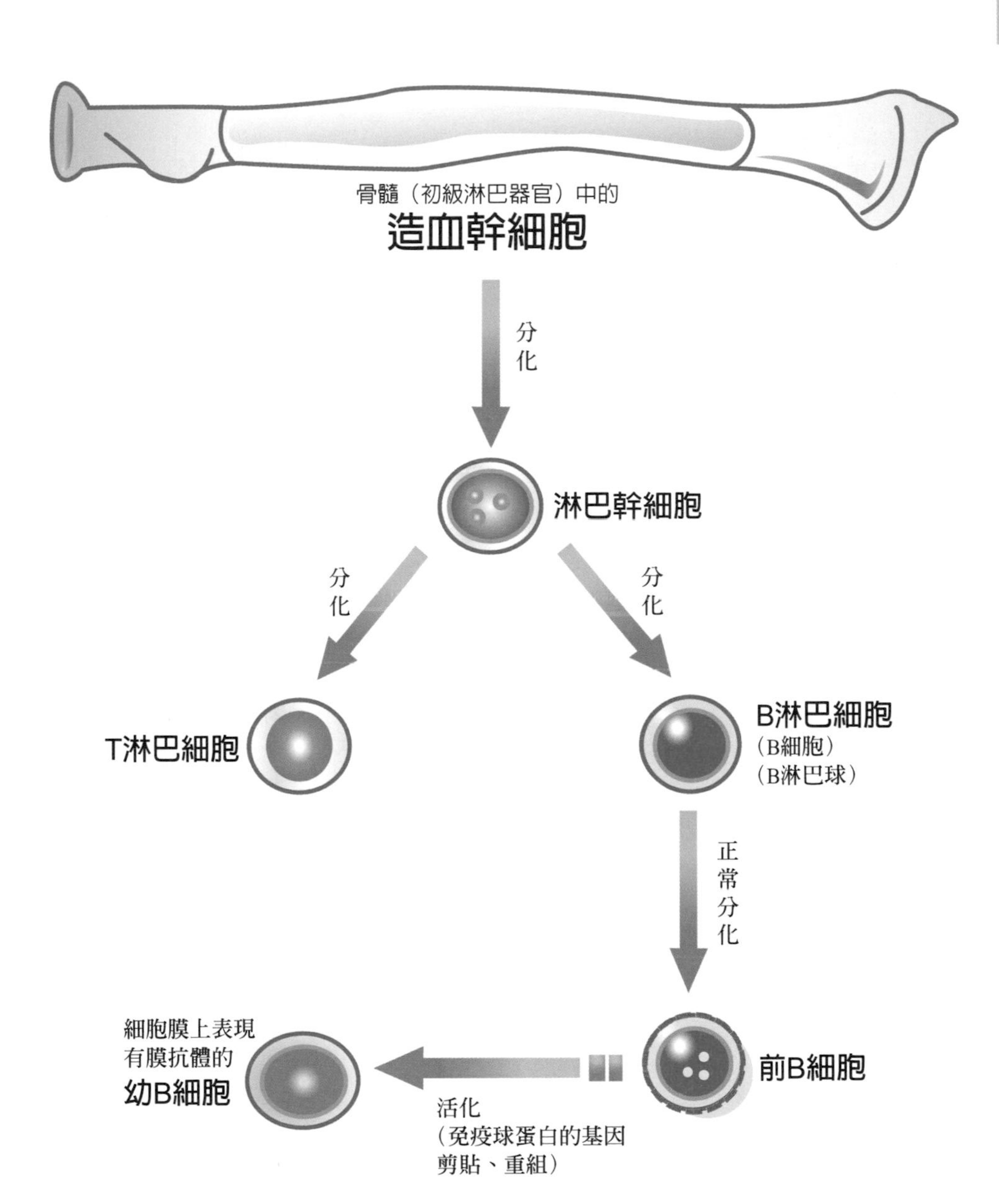
圖1：細胞生涯的第一階段
骨髓（初級淋巴器官）中的
造血幹細胞
分化
淋巴幹細胞
分化
分化
T淋巴細胞
B淋巴細胞
（B細胞）
（B淋巴球）
正常分化
細胞膜上表現
有膜抗體的
幼B細胞
前B細胞
活化
（免疫球蛋白的基因
剪貼、重組）

某種感染影響到骨髓腔中的微環境，都有可能導致B淋巴細胞分化，而其產生的不正常，也會間接產生B淋巴細胞免疫功能不全的現象。

免疫系統會針對外來刺激有不同反應

細胞膜上表現有膜抗體的幼B細胞，就像幼鳥離巢一般離開骨髓，隨著血液及淋巴管繼續探險的旅程。幼B細胞表面有受體分子，能認識**次級淋巴器官**的血管及淋巴上皮表面，這些受體分子又叫做「歸鄉受體」（homing receptor），幼B細胞靠著這些受體分子的作用，在到達應該停駐的次級淋巴器官的所在時，就能夠停駐下來。種種的次級淋巴器官，包括全身的淋巴結、胃腸系統的淋巴組織、脾臟及皮膚內的淋巴組織。所以我們知道其實淋巴組織分布在全身的很多部位，像是胃腸與皮膚都是頻繁與外界接觸的組織，的確需要有淋巴免疫組織的分布，以便認識入侵的抗原及微生物，發揮保護身體的免疫功能。

次級淋巴器官就像是淋巴細胞的第二個家，在這裡，幼B細胞停駐、聚集、遇見抗原，開始了「細胞生涯」的第二個階段，而迎向了蘊藏種種劇烈改變的未來。一如我們在成人之後就正式迎向人生歷程中的風雨及考驗，我們隨著這些事件產生反應、變化，我們的人生往往也因為我們本身對這些事件產生的反應不同，而走上不同的道路。B細胞在次級淋巴器官中遇見抗原，抗原會引發一些B細胞形成一個一個的**生發中心**（germinal center），生發中心的B細胞不斷的在進行抗體基因的**體基因超突變**（somatic hypermutation），這時抗體基因在抗原的刺激及T淋巴球幫助之下，又一次發生改變，這時基因的突變不是發生在形成生殖細胞時，而是成熟的淋巴細胞因應外界抗原刺激而產生的抗體基因突變，這個步驟叫作「體基因超突變」（somatic hypermutation），這在身體的成熟細胞中是極為罕見的情形。由此可知，**身體的免疫系統針對外來刺激的反應，不但有粗調控，例如發動不同的細**

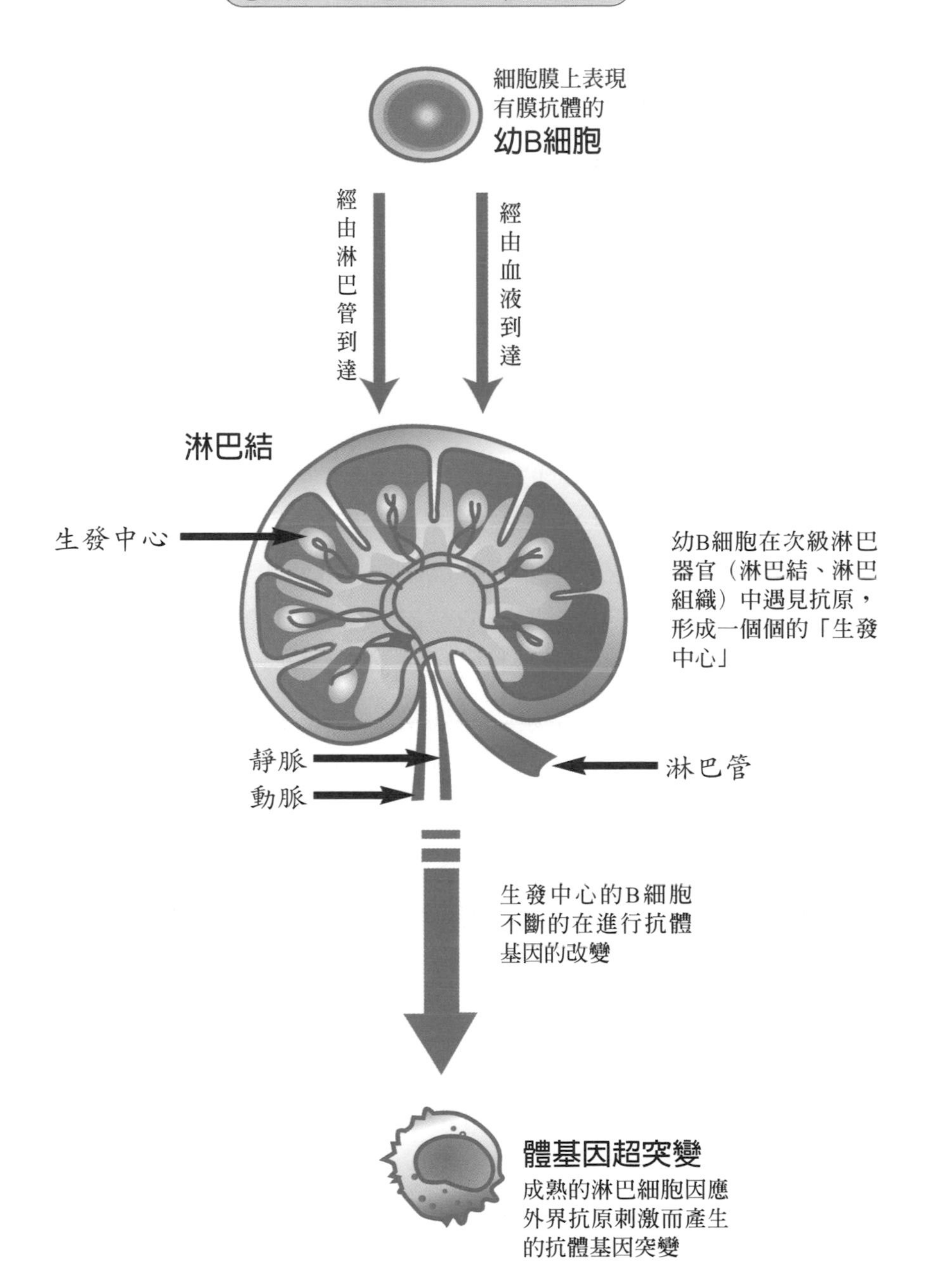
圖2：細胞生涯的第二階段
細胞膜上表現
有膜抗體的
幼B細胞
經由淋巴管到達
經由血液到達
淋巴結
生發中心
幼B細胞在次級淋巴器官（淋巴結、淋巴組織）中遇見抗原，形成一個個的「生發中心」
靜脈
動脈
淋巴管
生發中心的B細胞不斷的在進行抗體基因的改變
體基因超突變
成熟的淋巴細胞因應外界抗原刺激而產生的抗體基因突變

胞參與反應，還有微調控的層面。而微調控的層面不但包括幼B細胞生成時，V、D、J等不同基因橋段的不同剪裁組合，甚且還造成再一次改變成熟細胞的基因來應對的情況，免疫反應中所蘊含的巨大調適能力，確實是令人嘆為觀止。

IgG抗體的產生

值得注意的是，B細胞的抗體基因在體基因超突變之後，一些B細胞製造出能與抗原有效結合的抗體，這些B細胞就接著繁盛複製，而製造更多的抗體。相反的，一些B細胞的抗體基因在體基因超突變之後，製造出相同或是結合力更差的抗體，這些B細胞就在生發中心就地慢慢消失，也就是步入計畫性自我凋亡的程序。在生發中心上演的物競天擇戲碼，與市面上大大小小行業，因應景氣波動而衍生之榮枯現象頗為神似。只不過**抗體基因的體基因超突變是隨機現象，有些突變造出高結合力的抗體，有些突變造出低結合力的抗體，有些則未造成結合力改變**。這一點不同於市面上各行業為了因應景氣波動而採取的不同對策，是可以經過深思判斷的，如若未能有效突破危機，就頗令人唏噓了。

產生能與抗原呈現高親和力結合抗體的B細胞，不但能繁盛複製而製造更多的抗體，其中還有一些細胞會轉變性質，變成深藏不露的**記憶細胞**。下一次再遇到同樣抗原的時候，這些記憶細胞就迅速轉換成**反應細胞**，非常迅速的製造出大量的優質抗體，這樣一來，反應時間就可以加速好幾天了。通常記憶細胞產生的，都是對抗原有高親和力的G型免疫球蛋白（IgG），所以身體對入侵抗原也常常能憑著記憶細胞迅速的產生IgG抗體，弭平危機。

抗體篩選機制失序，造成免疫失調

然而，既然抗體基因橋段的重組剪裁，以及抗體基因的體基因超突變都是隨機性的，也就是依照發生機率而隨機發生，那麼產生的抗體就不可能完全是有利的，而必須依靠篩選機制來去蕪存菁。無論是在骨髓腔或是次級淋巴器官之中，都有機制來消除產生自體抗體的B細胞，所以基本上，一切事情就這樣有序的進行著。疾病及入侵的微生物被消滅，而我們體內也沒有會製造傷害自我之抗體的B細胞。**只不過任何機制運作總有出錯的時候，在自體免疫症患者體內，由於許多免疫調節系統都有差池，因而也就會出現產生自體抗體的B細胞及自體抗體**，此時自體抗體不一定會對身體造成傷害，也不必然是治療的標的，這種情況勿寧說是像一部機具上不停在閃爍的一個紅黃燈，顯示著某件問題的存在。拔掉燈泡或是修理了燈泡附近的路線，並不代表解決了問題。我們藉由探討B細胞的功能，可以稍稍領略身體免疫系統調節機制的精微及複雜，那麼對於自體免疫種種病症，所產生的纏繞繁複的免疫失調現象，也實在不能過於訝異了。

02

免疫球蛋白

重要的後天免疫保護機制

羅淑芬（長庚醫院風濕過敏免疫科臨床組教授）

免疫球蛋白是人體後天防禦機制的主角

人體的免疫系統有辨識「自體」或「非自體」的重要功能，在對抗外來物質的侵犯時，人體的防禦機制包括「**先天性自然免疫反應**」（innate immunity）以及「**後天性適應免疫反應**」（adaptive immunity），這兩種免疫反應會以不同的細胞或分子去排除外來的入侵物質。前者包括物理屏障、吞噬細胞（phagocytic cell）與補體系統等保護機制，如果抗原過多或無法由先天性免疫反應防禦時，就會啓動更強而有力，且具專一性的適應性免疫反應，包括體液性免疫反應與細胞媒介免疫反應。

如果把身體比喻成國家，免疫系統就是國防系統。細胞就像是軍人，而各種免疫分子就像是武器。先天性免疫是不具特異性的保護機制，例如城牆、護城河、地雷、拒馬及巡邏兵等。後天性系統就像是正規軍，武力強大且具有專一性。免疫球蛋白又稱「抗體」，是後天體液性免疫反應中的主角，可以比擬為精靈飛彈，精確對抗外來的病原，而不會破壞自體組織。

免疫球蛋白是存在於血清或體液中一類具有抗體活性的蛋白質。利用「電泳法」（註）分析血清中的蛋白質，會發現免疫球蛋白在電泳後移動至γ區位，因此亦稱「γ球蛋白」或「丙種球蛋白」。為了有效分類與命名，世界衛生組織在1964年將具有抗體活性及相關的球蛋白，統稱為「免疫球蛋白」（Immunoglobulin）。

（註）
什麼是「電泳法」？

利用血清蛋白質所帶電荷不同的特性，在電場的作用下，蛋白質會向其所對應的電極以不同的速度移動，藉此將血清中蛋白分離成不同的區帶之方法稱為「電泳法」。

抗體執行免疫反應的特徵與功能

免疫系統在病原刺激下，會刺激B細胞分化成**漿細胞**，產生**抗體**。抗體會對抗病原的一個特殊位置，稱之為「**抗原**」。由於抗體與抗原的高親和性，抗體可以在複雜的生物環境下，專一性的精確找到抗原，並與之結合，進而產生一系列的免疫反應，以清除病原。面對數量繁多的不同病原，每個健康個體的免疫系統通常都有能力可以生產幾近於無限多的免疫球蛋白，這種抗體的多樣性，才足以應付環境中入侵的各種病原；而且每個免疫球蛋白能對所接觸到的病原，分別顯出獨特的專一性，來一一對抗不同的病原。抗體在執行免疫反應上，有幾個重要特徵與功能：

■結合抗原

這是抗體最重要的特色，它能與抗原進行高強度、高親合性的結合。這個結合確立了後天性體液性免疫反應的專一性。

■啓動補體系統

抗體破壞與消除病原的反應，有時可以藉助其他分子或細胞的輔助而加強，其中最重要的分子就是補體。抗體與抗原結合後，便會暴露出與補體的結合點，這時周邊的補體就會被活化，活化的補體可以對病原產生直接的破壞。

■強化吞噬細胞的作用

除了啟動補體，抗體抗原的結合，也會強化吞噬細胞的吞噬作用。此時吞噬細胞便會把抗體所結合的病原清除。

由於免疫系統平時便會對已辨識過的抗原持續產生抗體，並將之分泌至血液及體液中，因此一旦有病原入侵，便有預備好的抗體可以對抗病原。某些抗體可以透過胎盤（例如「免疫球蛋白G」）傳輸給胎兒，因此即使初生嬰兒沒有接觸過病原，也可以擁有來自母親的免疫球蛋白，得以在嬰兒免疫系統尚未完全建立前，提供保護。

5種免疫球蛋白的特性與功能

免疫球蛋白的結構很特別，它是一個Y字型的分子，由兩條重鏈及兩條輕鏈所組成。其中較長、分子量較大的胜肽鏈稱為「重鏈」，較輕的兩條稱為「輕鏈」。其中一條重鏈與一條輕鏈組合成Y的一側，兩側再以雙硫鍵結合成完整的免疫球蛋白分子。在Y字型前端的重鏈與輕鏈，形成與抗原結合的部位，這個區域具有極大的變異性，因此理論上可以辨認的抗原達數百億種之多；Y字型末端的重鏈為免疫球蛋白的功能區，具有活化補體等生理功能的作用，這個區域的變異較少，是固定區（圖1）。輕鏈有κ、λ兩種，重鏈則有γ、μ、α、δ、ε五種。這五種重鏈決定了免疫球蛋白的分類，分別為免疫球蛋白G、M、A、D、E（IgG、IgM、IgA、IgD、IgE）。這五種免疫球蛋白各有不同的特性與功能（表1）。

■IgG

在血清中含量最多，具有四種亞型：IgG_1、IgG_2、IgG_3、IgG_4。IgG在身體抵禦感染中相當重要，所以IgG若是減少，容易引起反覆感染。

圖1：免疫球蛋白的基本結構

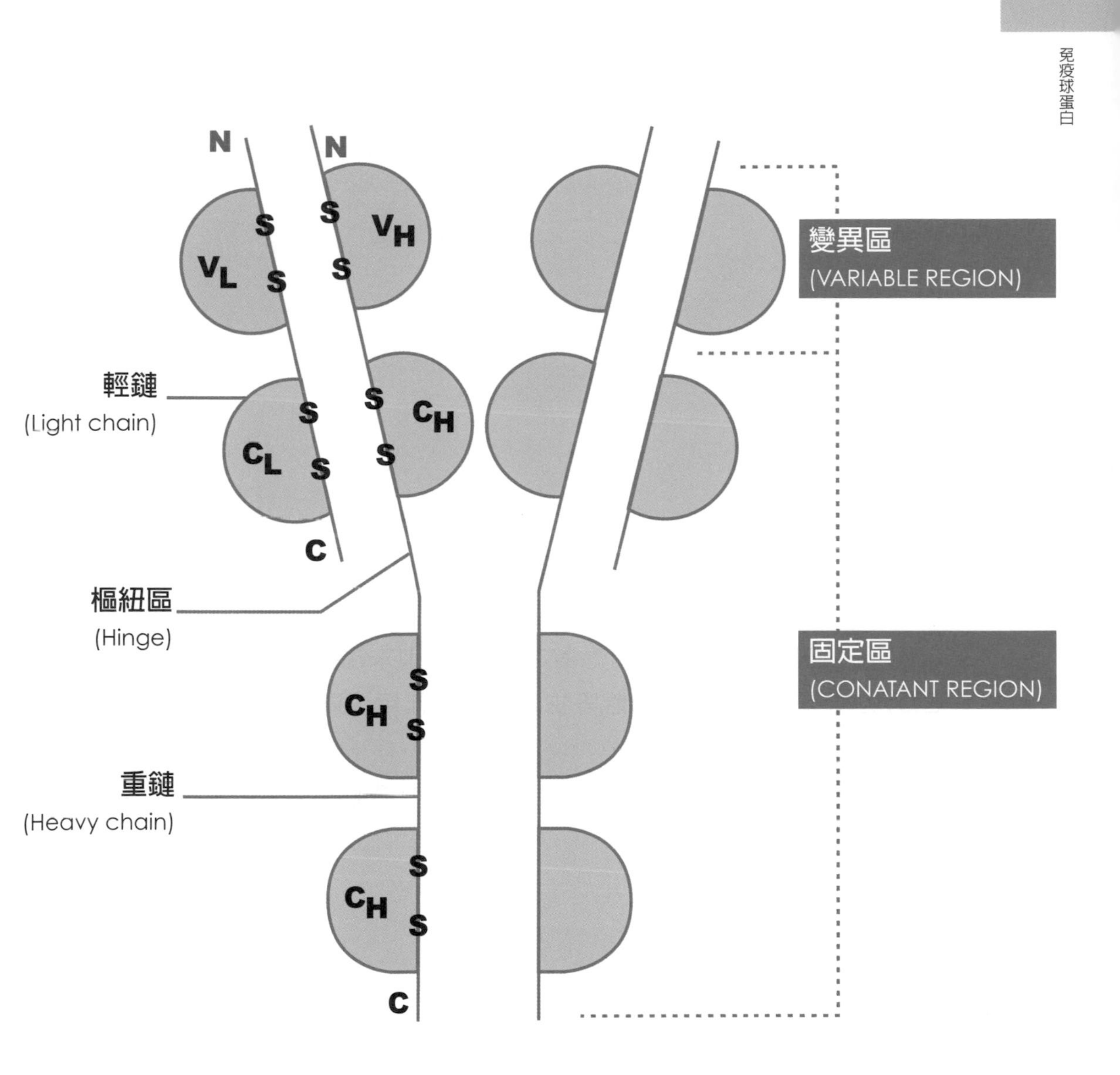

表1：免疫球蛋白的特性與功能

	IgG	IgA	IgM	IgD	IgE
重鏈	γ	α	μ	δ	ε
重鏈亞型	γ_1, γ_2 γ_3, γ_4	α_1, α_2			
輕鏈	κ及λ	κ及λ	κ及λ	κ及λ	κ及λ
分子結構	γ_2,L_2	α_2,L_2或 $(\alpha_2,L_2)_2SCJ$	$(\alpha_2,L_2)_5J$	δ_2,L_2	ε_2,L_2
沉澱係數(S)	6-7	7	19	7-8	8
分子量	150,000	160,000[a]或 400,000[b]	900,000	180,000	190,000
電泳移動區位	γ	Fast γ to β	Fast γ to β	Fast γ	Fast γ
補體結合	+	0	++++	0	0
血清中濃度	1000	200	120	3	0.05
半衰期(天)	23	6	5	3	2
透過胎盤	+	0	0	0	0
與肥大細胞及嗜鹼性細胞作用	?	0	0	0	++++
細菌溶解	+	+	+++	?	?
抗病毒作用	+	+++	+	?	?

註a：血清中單體免疫球蛋白A

註b：分泌液中雙體免疫球蛋白A

■IgM

是分子量最大的免疫球蛋白，常以五聚體（pentamer）型式存在，它是當免疫系統遇到抗原刺激時，最早出現的免疫球蛋白，與初級免疫反應有關。它也會增加血液黏稠度，降低血液流速。

■IgA

在血清中多以單體（monomer）存在，在分泌液中則以雙體（dimer）存在。IgA與黏膜免疫反應有關，可以對局部感染提供保護。

■IgD

在血清中含量很低，但是在B細胞表面的IgD，則與B細胞的成熟分化有關，可以當作主要的抗原接受器。

■IgE

是血清中含量最低的免疫球蛋白，與寄生蟲感染及過敏反應有密切關係。

出現免疫球蛋白異常之各種臨床疾病

血清中免疫球蛋白的異常，可以出現在：

- 多發性骨髓瘤：其表現為單種免疫球蛋白異常增高，而其他種免疫球蛋白則明顯降低。
- 巨球蛋白血症：產生IgM的漿細胞惡性增生。
- 原發性或續發性的免疫缺陷：免疫球蛋白缺乏或下降。
- 過敏性疾病：IgE上升。
- 寄生蟲感染：IgE上升。
- 慢性發炎與自體免疫疾病：多種免疫球蛋白增加。

正常的抗體固然有保護作用，但變異的抗體卻可能造成傷害。免疫系統應該辨識「非自體」，對外來的入侵抗原產生抗體，但若對「自體」產生抗體，則會引起各種自體免疫疾病，例如紅斑性狼瘡、類風濕性關節炎、甲狀腺機能亢進或重症肌無力等。分別產生的抗DNA抗體、類風濕因子、甲狀腺受體抗體、乙醯膽鹼受體抗體，是主要的致病抗體。這些自體抗體的檢測可以幫助臨床診斷，也可以用於推測疾病的預後。

免疫球蛋白也可以用來治療疾病

目前抗體的應用很廣，在診斷與預後之外，治療上也經常應用。例如注射丙型免疫球蛋白，是經過分離純化的濃縮免疫球蛋白，目前已經使用在免疫缺陷、感染症，如腸病毒、川崎症、特發性血小板低下紫斑症，及一些自體免疫疾病。另外，對於某些因為細胞激素引起臨床病變的疾病：如類風濕性關節炎、僵直性脊椎炎、乾癬及乾癬性關節炎等，臨床上利用抗體具有高特異性的特點，製造出針對腫瘤壞死因子、介白質1、介白質6等細胞激素的抗體，臨床上使用，已經證實可以快速有效的改善病情，增進日常生活功能，提升病人生活品質。

總而言之，**免疫球蛋白是一種重要的後天性免疫保護機制，負責體液性免疫反應，具有多樣性與專一性**。免疫球蛋白的檢測，可以幫助疾病的診斷與評估預後。免疫球蛋白可以用來治療不同的疾病，目前更有部分生物製劑是利用生物科技製造的抗體。相信未來對於抗體進一步的研究，可以更增加免疫球蛋白在臨床上之應用。

03 漿細胞

製造抗體的工廠

周昌德（台北榮民總醫院過敏免疫風濕科主治醫師）

緒論

人體隨時有遭遇外來病菌入侵的可能，故身體內必須有一套完整的防禦系統，用以保護自身的安全，免於疾病的侵襲。其實人體的免疫系統，簡單來說，可分兩種，第一種為**與生俱來的免疫系統**（innate immunity）。而組成此防禦系統重要的細胞為嗜中性白血球（polymorphonuclear neutrophils, PMN），及大單核球（monocyte, Mϕ），兩者皆具有吞噬功能，在人體遭受感染時，PMN及Mϕ最先被召集抵達有感染病變之處，進行第一波對抗外來菌之清除。事實上，人體內尚配備有**第二線防禦系統**，為因應特殊需要之免疫作用（adapative immune response）。如遇到特定抗原或細菌感染時，人體內可經由產生抗體或細胞激素（如TNFα、IL-1等），加速外來細菌之移除或破壞。而抗體之產生，主要是由體內之漿細胞（plasma cell）負責製造。本文將特別針對漿細胞做一完整之介紹，讓讀者進一步了解此一特殊細胞。

漿細胞從何而來？

漿細胞的前身為B細胞，B細胞是屬於人體內白血球分類中的一

項。事實上，紅血球、白血球及血小板等，其老祖宗都是由骨髓內一種最原始的幹細胞（stem cell）逐漸分化而成的不同系統之細胞。而淋巴球細胞可再分化為B細胞、T細胞及自然殺手細胞（NK cell）。T細胞的分化是在胸腺內完成，而B細胞的分化是在人體骨髓內完成。成熟的T及B細胞會遊走於周邊血管及周圍之淋巴組織。當遇到特定抗原時，T細胞會分化成特定功能的細胞，而B細胞則會分化成產生抗體的漿細胞。

體液免疫反應是如何引發的？

如要完成特定抗原引發之體液免疫反應（humoral immune response, HIR），**必須有不同細胞，包括B及T細胞共同合作方能完成**。當人體遭遇到外來抗原時，B細胞表面之B細胞抗原受體（B-cell antigen receptor, BCAR），可與抗原結合，直接將訊號傳入細胞內。另外，B細胞受體與抗原結合後，會直接將抗原送入B細胞內，經過特定處理，再將處理後之胜肽（peptide）與細胞表面的人體組織重要抗原——主要組織相容複合體（MHC）結合，此種組合將被特定的輔助T細胞（helper T cell, T_H）認知，並與其結合發揮作用。

T細胞分泌之細胞激素，可使B細胞分化成兩類，第一類為產生特定抗體之漿細胞，另一類為記憶型細胞（memory cell），當下次再遭遇到相同抗原時，記憶型細胞便可在體內立即反應，形成特定之抗體，用以對付外來抗原。兒童在幼年期接種三合一疫苗，或卡介苗等，其原理即為先接種特定菌種之疫苗，使體內T及B細胞受到刺激，在細胞內形成記憶。當下次真正感染到相同菌種時，身體內已儲備好之防禦細胞，可迅速地撲滅外來的感染。

上述B細胞活化的過程，須經由T輔助細胞之幫忙。事實上，有少數菌種感染時，其抗原可不經由T細胞之輔助，而直接產生抗體。

B與T細胞之間，有哪些蛋白或細胞激素參與反應？

B細胞除了可分化成漿細胞產生抗體外，其實它另外還有重要功能，亦即類似大單核球，具有抗原處理及將處理之特定抗原表現到相對應細胞之重要功能。前面已敘述，特定抗原可經由B細胞表面的受體，與其結合，然後進入細胞內，經過特殊抗原處理（通常形成9至10個胺基酸之胜肽），再送至細胞表面與MHC抗原結合，此時，B細胞再將特定之抗原呈現到可對應之T細胞。B與T細胞結合時，T細胞表面有一重要的膜性蛋白，即CD40 ligand（CD40L，目前稱為CD154，此蛋白屬於腫瘤壞死因子的家族），此CD40L會與B細胞表面之CD40蛋白相結合。當CD40與CD40L連接時，可引發B細胞之活化。這中間的重要媒介除了CD40L外，第四介白質（IL-4）亦為影響B細胞活化非常重要的細胞激素。事實上，B細胞要激活，必須有B細胞受體加上CD40連接，及IL-4之產生等參與。除了CD40、CD40L外，最近發現CD30、CD30L、B7及CD28等亦共同參與B與T細胞反應。

關於特殊抗體之製造及在體內如何轉換（isotype switching）的問題，身體內具有之抗體基本上是呈現多樣性、多功能性的。抗體由漿細胞製造，其具有專一性的結構，稱為「抗原結合部位」（antigen- binding site），這個組成有兩個變異區。包括重鏈及輕鏈組合而成之V結構（V domains），如再加上一個固定區（C區），即為一組完整抗體。當免疫球蛋白（immunoglobulin, IgG）在體內轉換時（如IgM轉換成IgG），細胞內之DNA經由T細胞釋放之細胞激素，可進行重組（DNA rearrangement），再產生特定之抗體或免疫球蛋白（事實上，所有的抗體皆為免疫球蛋白）。

未受到刺激的原始B細胞（naïve B cells），其細胞表面之表現以IgM、IgD為主，然而血清中之IgM卻相當少（僅占所有免疫球蛋白總量的10%左右），而血中最多者仍為IgG。事實上，血清中存在之抗體皆由

B細胞進行免疫球蛋白轉換而來的。血清中的IgD非常少量。早期感染出現之免疫球蛋白為IgM，較後期之感染血中的主要免疫球蛋白為IgG及IgA，另外IgE亦可能表現。血中的IgG為所有免疫球蛋白濃度最高者，部分是因為此球蛋白在血中存活時間較長。另外，要維持免疫球蛋白轉換的另一重要蛋白為CD40L，如果缺乏B與T細胞互動之CD40或CD40L，則免疫球蛋白IgM，便無法轉換成IgG或IgA，而形成血中高濃度之IgM。

在動物實驗中，**已發現不同的細胞激素扮演不同免疫球蛋白轉換的功能**。如IL-4可促成免疫球蛋白IgM轉換成IgG及IgE；而TGF-β可促成IgG2b及IgA產生；IL-5可助IgA之產生。上述細胞激素IL-4、IL-5、TGF-β皆由T_H2輔助細胞所釋放，而T_H1輔助細胞所釋放之γ干擾素，則可促成IgG2a及IgG的產生。

在外來病原菌侵犯時，B細胞、漿細胞與抗體所扮演的角色

在人體遭受感染時，可逐漸形成一道具有未來保護性之免疫網。**此免疫網內有兩種重要成分，一為抗體，一為被活化之T細胞**。此抗體經由先前感染時所存留之記憶性細胞迅速產生，當再次遭遇到相同菌種時，此抗體即為中和性抗體（neutralizing antibody），可迅速結合病原菌抗原，而將外來菌有效移除（圖1）。為了防範嚴重之小兒麻痺症（polio）病毒，而給予疫苗注射，使幼兒產生抗polio抗體，當遭遇polio感染時，體內已存在之抗polio抗體即可迅速結合polio病毒，並將其移除，使其無法感染破壞人體內的運動神經元，避免小兒麻痺症之發生。抗體除了可中和抗原外，在其結合抗原後，事實上此免疫複和體或加入補體（補體之功能，為結合抗體增加吞噬細胞之互用及直接破壞細菌），也較容易被吞噬細胞吞入。此為人體使用另一種藉由抗體去對抗外來菌之模式。

●圖1：體液免疫反應之流程

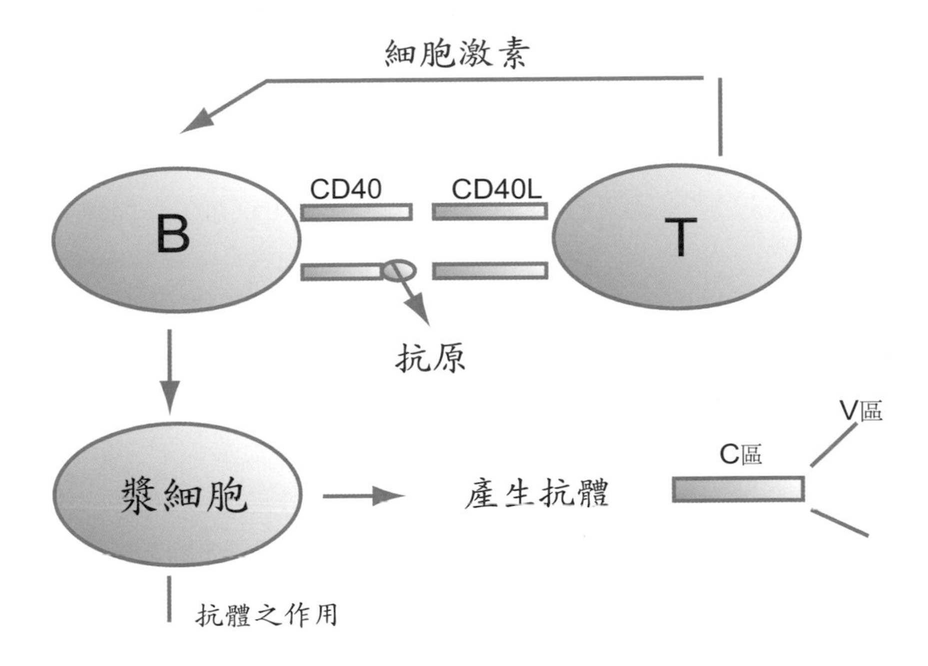

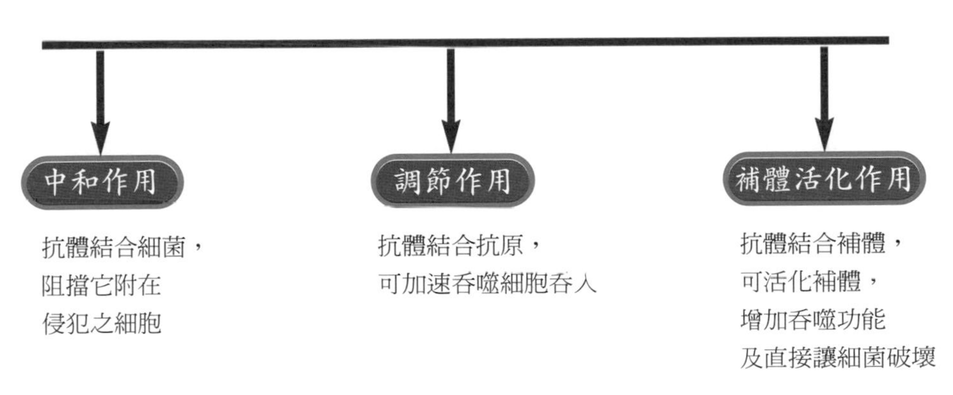

抗體結合細菌，
阻擋它附在
侵犯之細胞

抗體結合抗原，
可加速吞噬細胞吞入

抗體結合補體，
可活化補體，
增加吞噬功能
及直接讓細菌破壞

結論

人體透過免疫系統保護個體，免於後患。雖然人體隨時會暴露在不同外來菌的侵襲之下，但第一道防禦系統，可將細菌處理，或將其菌抗原由抗原呈獻細胞，表現於T及B細胞，藉由後兩者的合作，使B細胞分化成漿細胞，再製造特定抗體對抗先前之菌抗原。總之，各細胞及細胞激素共同參與合作，才使得人體能夠有效抵禦外來病菌，以保平安。

04

T淋巴球

免疫反應的中樞

孫光蕙（陽明大學醫學生物技術暨檢驗學系教授）

血液細胞的分化

人類周邊血液細胞是從骨髓幹細胞製造、分化成熟而來，主要包括紅血球、白血球及血小板。**紅血球**提供氧氣、二氧化碳及養分的運送，**血小板**幫助凝血和止血的功能，而**白血球**主要負責初級免疫反應與專一性免疫反應。其中白血球依細胞型態分為嗜中性球、嗜鹼性球、嗜酸性球（嗜伊紅性球）、淋巴球及巨噬細胞。正常人血液中**嗜中性球**約占白血球組成的50%至70%，主要負責第一線對抗細菌的入侵；白血球中的**淋巴球**約占20%至40%，負責專一性免疫反應；**嗜鹼性球與嗜酸性球**在白血球中占極少數，主導過敏反應；而**巨噬細胞**則具有吞噬及呈獻抗原，以活化淋巴球的功能，進而引起專一性免疫反應。淋巴球可依功能及細胞表面分子特徵再細分為B細胞、T細胞及自然殺手細胞。約七成的淋巴球為T細胞，5%至10%為自然殺手細胞，而**B細胞**在受到外來病原刺激後，主要會分化為漿細胞，分泌抗體，並執行體液性免疫功能，**T細胞及自然殺手細胞**則負責細胞性免疫功能。

●圖1：血液細胞分化的過程

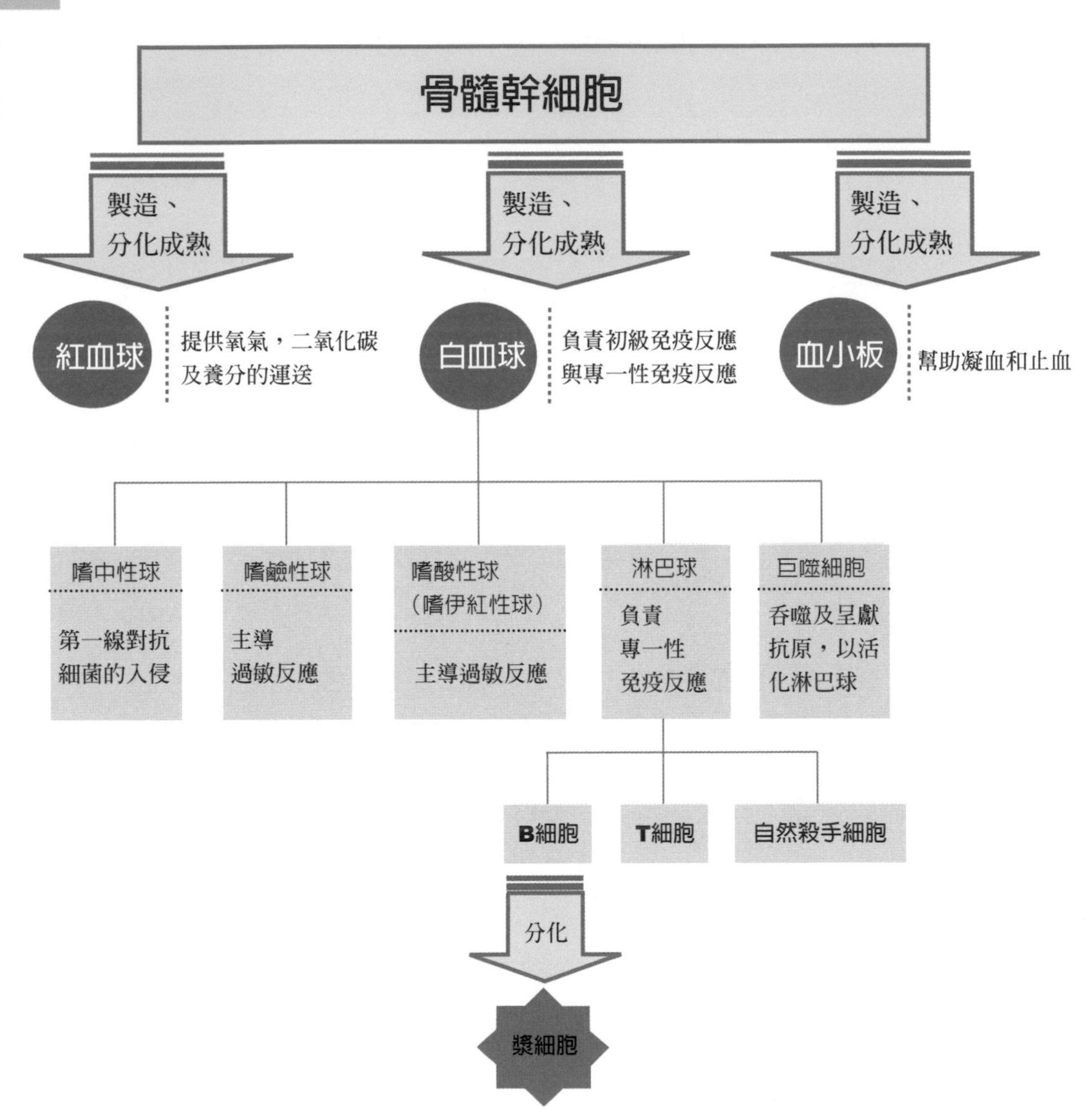

T淋巴球的分化

T淋巴球由骨髓幹細胞製造，經胸腺的教育辨視敵我後，才分化成熟為CD3之**小淋巴球**，並輸送到周邊血液中。身體在受到外來病原體入侵時，其抗原經抗原呈獻細胞（如樹突細胞、巨噬細胞及B細胞）之主要組織相容性複合體（major histocompatibility complex, MHC）呈獻給T細胞受體（T cell receptor complex, TCR-CD3），以此方式刺激T細胞，可使小淋巴球變大增生成**淋巴球母細胞**，淋巴球母細胞又進一步增生分化成較小的記憶型（memory）與作用型（effector）T細胞，分別執行記憶與清除抗原之功能。**記憶型T細胞**的壽命較長，且具有抗原專一性，因此當人體再次感染相同的病原體時，能迅速活化二級免疫反應，產生良好的保護；**作用型T細胞**的壽命較短，依功能可分為幫助型（helper T, TH）、毒殺型（cytotoxic T, TC）與自然調節型（natural regulatory T, Treg）T細胞。大部分**幫助型T細胞**的表面具有CD4標幟分子，負責幫助免疫反應中毒殺型T細胞、巨噬細胞、B細胞及其他細胞之活化，而**毒殺型T細胞**表面則具有CD8標幟分子，執行移植排斥作用、毒殺清除受病毒感染的細胞及癌細胞之功能（通稱為「靶細胞」）。一般正常人體周邊血液中，CD4與CD8 T細胞之比值為2比1，但疾病狀況下則會改變，如罹患愛滋病時，CD4 T細胞被病毒破壞，導致免疫功能降低。**自然調節型T細胞**一般具有CD4與CD25分子，表現在細胞膜上，且有Foxp3轉錄因子之表現，功能與幫助型T細胞不同，主要藉由T細胞受體辨識專一抗原，並釋放介白素10（interleukin 10, IL-10）與轉化生長因子β（transforming growth factor β, TGF-β），藉此扮演抑制免疫反應之負調控角色，防止產生過度的免疫反應，因此在自體免疫疾病中會發現調節型T細胞之不正常，而在癌症病人身上則會發現調節型T細胞在數目功能上都有增加的趨勢。

●圖2：T淋巴球分化的過程

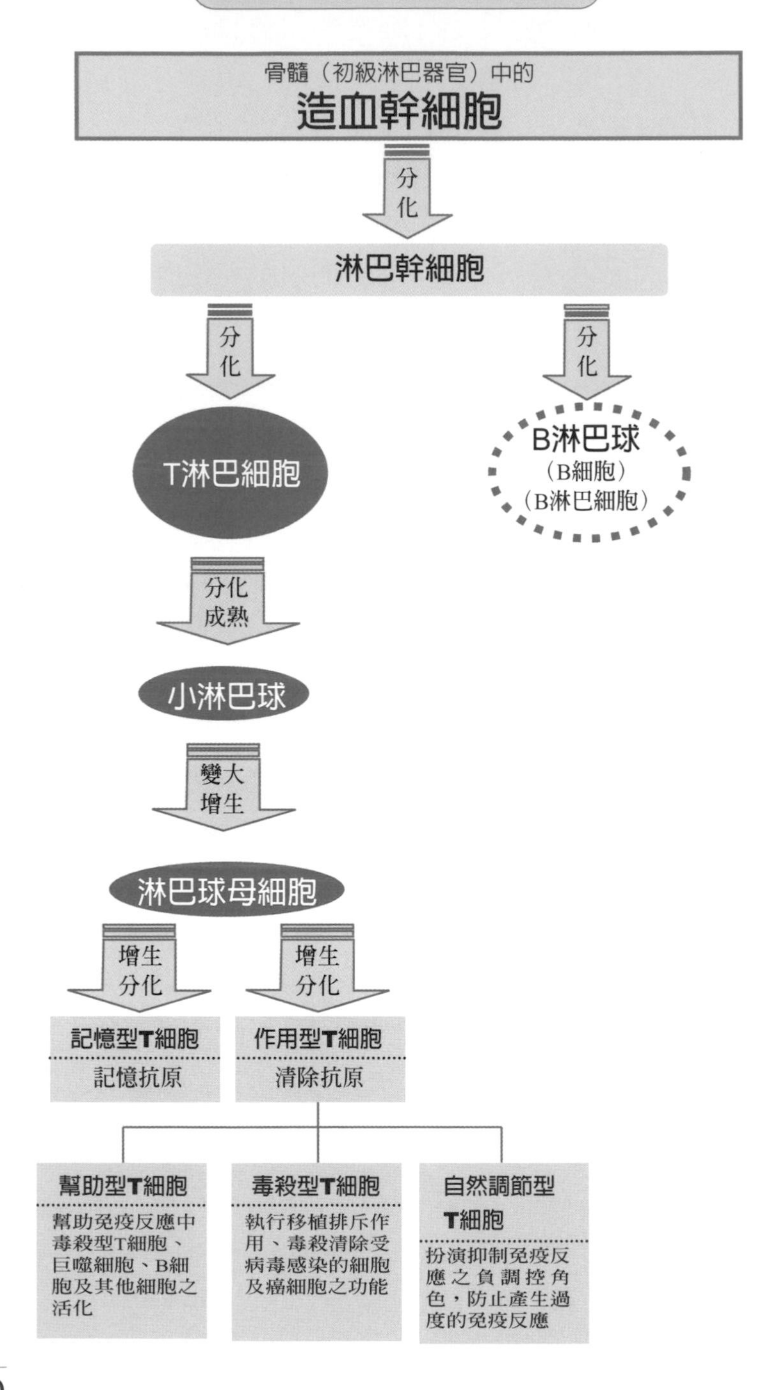

CD4幫助型T細胞的功能

CD4幫助型T細胞之活化增生是引起體液性與細胞性免疫反應的樞紐，T細胞之活化主要需要兩個訊號。第一訊號需要抗原呈獻細胞之第二型主要組織相容性複合體（MHC class II）呈獻抗原胜肽給T細胞受體（TCR-CD3），再經抗原呈獻細胞B7與T細胞CD28結合產生第二訊號，才能完全活化，但是若缺乏此第二訊號，T細胞將呈現反應低落無法活化（anergy）之狀態。活化後之幫助型T細胞分泌介白素2（IL-2）及表現IL-2受體，造成T細胞之增生分化。活化後之CD4幫助型T細胞一般會分化成第一型（T_H1）或第二型（T_H2）T細胞，而到底是分化成T_H1還是T_H2，則取決於細胞激素之存在與否，如干擾素（interferon-γ，IFN-γ）及介白素12（IL-12）皆會促進T_H1而抑制T_H2之發育，介白素4（IL-4）則會促進T_H2而抑制T_H1之發育。活化後之幫助型T細胞，主要藉由分泌細胞激素執行幫助功能，**第一型（T_H1）T細胞**分泌IL-2、IFN-γ和腫瘤壞死因子β（tumor necrosis factor-β，TNF-β）等細胞激素，主要負責活化典型細胞性免疫功能，如延遲型過敏反應、活化巨噬細胞與毒殺型T細胞；**第二型（T_H2）T細胞**分泌介白素4（IL-4）、介白素5（IL-5）、介白素6（IL-6）和介白素10（IL-10）等細胞激素，主要刺激嗜酸性球和活化B細胞以執行體液性免疫功能。

CD8毒殺型T細胞毒殺靶細胞的機制

CD8毒殺型T細胞之活化，需抗原呈獻細胞先被T_H1細胞活化，抗原呈獻細胞活化的過程除了第一訊號外，尚需CD40及CD40L之結合，然後活化的抗原呈獻細胞才能經由第一型主要組織相容性複合體（MHC class I）呈獻抗原胜肽給T細胞受體（TCR-CD3），再加上抗原呈獻細胞B7與T細胞CD28結合，才能活化CD8毒殺型T細胞。活化之CD8毒殺型T細胞會表現IL-2受體與分泌少量IL-2，加上活化T_H1細胞所分泌的IL-2，可造成活化之CD8毒殺型T細胞大量增生，進而執行毒殺清除靶細胞之功能。活化之CD8毒殺型T細胞執行毒殺靶細胞功能的機制有兩種，**第一種**是經由毒殺型T細胞釋放穿孔素（perforin）及顆粒溶解酶（granzyme），其中穿孔素會造成靶細胞穿孔，讓顆粒溶解酶進入，顆粒溶解酶活化細胞凋亡蛋白酶（Caspase）再進一步引起細胞凋亡（apoptosis）；**另一種**則是經由活化之毒殺型T細胞表面的Fas單體（Fas ligand, FasL）分子與靶細胞表面之Fas受體結合，引起訊息傳遞活化細胞凋亡蛋白酶，造成靶細胞之細胞凋亡。

05

胸腺所扮演的重要角色

一級淋巴器官

司徒惠康（國防醫學院微生物及免疫學研究所教授）

胸腺是身體裡面十分重要的一級淋巴器官，特別是在培養出免疫系統中的特種部隊——T淋巴細胞時，扮演極重要角色。

提供免疫細胞發育的重要器官

胸腺位在胸腔的上前方，胸骨的後面，在結構上可以分成兩葉（lobe），主要由胸腺上皮細胞以及胸腺細胞所組成。在胚胎時期，胸腺的上皮細胞便開始發育生長，到了胸腺上皮細胞發育的晚期時，造血幹細胞中的淋巴球系的前驅細胞便開始進入胸腺，一同發育生長。在出生後，胸腺仍會一直不斷的發育成長，到了青春期過後，就開始逐漸萎縮，並漸漸由脂肪組織所取代。

在1960年以前，科學家對於胸腺功能的了解相當有限，當時只知道胸腺當中會有很大量的淋巴球死亡，因此又被戲稱為「**淋巴球的墳場**」，認為胸腺並沒有實質上的功能。直到1961年，賈克・米勒（Jacques Miller）證實了胸腺在免疫系統中的重要性。他在小鼠的動物實驗中，將出生三天幼鼠的胸腺摘除，發現摘除胸腺的老鼠會有免疫系統上的缺陷，而且會大量缺乏淋巴球細胞。這些切除胸腺的老鼠在離乳前的生長狀況和一般老鼠相同，但是離乳之後（約三到四週）其生長的狀況較差，體重減輕，並且通常在青春期之前便會死亡。不過，若在成鼠時切除胸腺，則不會影響免疫系統。顯示**胸腺在幼兒期對免疫系統的發育扮演很重要的角色**。

對此，賈克・米勒做了一個推測，認為胸腺是提供免疫細胞發育的一個重要的器官，特別是在幼年時期，這些細胞要在胸腺發育之後才會循環到身體各部位，並維持免疫系統的功能。

隔年，賈克・米勒以精巧的小鼠皮膚異體移植的動物實驗，證實了這樣的假設。首先，他將出生三天的A品系老鼠的胸腺摘除，這樣的老鼠由於會有免疫系統上的缺陷，當移植B品系老鼠的皮膚到A品系老鼠身上時，並不會有明顯的排斥反應。但是，如果被摘除胸腺的A品系老鼠，接受了同品系老鼠健康的胸腺移植之後，其免疫系統的功能就可以恢復正常，當接受了不同品系老鼠的皮膚移植時，會產生很強的排斥反應，而排斥移植物。這樣的結果證明了胸腺對於免疫系統的發育扮演很重要的角色。此外，也證明可以藉由胸腺移植的方式，來彌補因為喪失胸腺功能而造成的免疫不全。

T淋巴球的教育學院

賈克・米勒的研究，引導了後來的科學家對胸腺以及淋巴球發育的了解，在隨後的研究中證實，這些必須依賴胸腺方能分化成熟的細胞，就是我們所知道的T淋巴球。

賈克・米勒開啓了科學家對胸腺研究的嶄新一頁，胸腺由「淋巴球的墳場」轉變成為「**T淋巴球的教育學院**」，這是一個很嚴格的學院，它會毫不客氣的把發育不良的細胞清除，以維持免疫系統的正常運作。在T淋巴球的分化過程中，來自骨髓的前驅細胞會先到胸腺中進行分化和增生，在這整個過程中，尚未完全發育成熟的細胞稱為「**胸腺細胞**」（thymocyte）。隨著胸腺細胞的發育，其表面會開始表現**T細胞受體**（T cell receptor, TCR），T細胞受體是T淋巴細胞辨識外來抗原執行細胞免疫功能最重要的一個分子，在這個時期，負責製造T細胞受體的基因會開始重組，使得T細胞受體具有很高的歧異性，可以辨識各式各樣的抗原。

胸腺細胞的第一個考驗：正篩選

另外，在這個時間點，胸腺細胞尚未決定要分化成CD4或是CD8 T淋巴細胞，因此胸腺細胞表面會同時表現CD4和CD8這兩個輔助受體（co-receptor）。胸腺細胞生長到這個階段的時候，會面臨第一個考驗：**正篩選**（positive selection）。

在正篩選中，胸腺細胞所表現的T細胞受體必須要能夠辨識自體的主要組織相容複合體（major histocompatibility complex, MHC）才能夠繼續存活和增生，這樣的目的是為了確保從胸腺細胞表面重組出來的T細胞受體，能和自體的MHC做結合，此現象稱為MHC-restriction。相反的，若無法辨識自體的MHC時，則不能得到適合的刺激，最終將走向細胞凋亡。在這同時，也決定了胸腺細胞將來是要分化成CD4或是CD8 T淋巴細胞，當胸腺細胞的T細胞受體能辨識的是第一型主要組織相容複合體（class I MHC），以及其表面的CD8分子能同時與class I MHC作用時，這顆胸腺細胞將來便會成為CD8 T淋巴球。

圖：胸腺的生長發育

胸腺的上皮細胞 **開始發育生長**	胚胎時期
胸腺的上皮細胞 **發育的晚期**	造血幹細胞中的淋巴球系的前驅細胞開始進入胸腺，一同發育
胸腺的上皮細胞 **仍不斷發育生長**	出生後
胸腺的上皮細胞 **開始逐漸萎縮，** 並漸漸由脂肪組織取代	青春期過後

胸腺細胞的第二個考驗：負篩選

在通過了第一個關卡之後，緊接著的是負篩選（negative selection），負篩選的目的主要是為了讓身體產生**中央耐受性**（central tolerance），若胸腺細胞的T細胞受體和MHC以及其所呈現的自體抗原有很強親和力時，這些細胞便會被清除掉，藉由這樣的機制來避免產生會對自體產生免疫反應的T淋巴細胞。

由此可知，胸腺除了是T淋巴細胞發育成熟的主要器官，透過其嚴格的篩選，這些T淋巴細胞可以對外來病原的入侵做出適當的反應以保護生物體之外，也能避免自體免疫疾病的產生。

胸腺發育異常所造成的疾病與治療

在臨床上，狄喬治氏（DiGeorge）症候群，又稱為「**先天性胸腺發育不全**」，就是因為胸腺發育異常所造成的疾病，這樣的病患由於其染色體22q11.2的位置有小片段缺失，導致失去了大約三十個基因，影響了在胚胎發育過程中的胸腺生長。除此之外，此類病人也常伴隨有心臟發育不良和副甲狀腺體的功能不全等症狀。由於胸腺發育不良，病患的身體內T淋巴細胞嚴重缺乏，容易引起伺機性感染（如黴菌、肺孢囊蟲），及輸血時引起移植物對抗宿主疾病（Graft versus host disease, GVHD）。

在臨床治療上，多依病人的表徵而給予適當的療法，譬如當病人受到感染時，便給予**抗生素**治療。近年來，研究人員嘗試以**胸腺移植**的方式，治療患有狄喬治氏症候群的嬰兒，在接受移植手術的嬰兒中，能夠發育出具有正常生理功能的T淋巴細胞；此外，在接受了胸腺移植的六個月後，隨著免疫系統的重建，病患受到細菌、病毒以及黴菌的感染次數，都有顯著的下降。

在實驗動物學上，裸鼠（nude mouse）是腫瘤學家所喜好的一種小鼠品系。裸鼠因為缺乏FOXN 1基因，使得胸腺的上皮細胞無法正常發育，因此無法產生成熟的T淋巴細胞，而導致免疫缺陷。此外，裸鼠因為毛囊發育也受到影響，所以其表皮並沒有體毛覆蓋。這樣的老鼠可以接受異體甚至異種移植，而不會有明顯的排斥反應，因此腫瘤學家常在裸鼠身上接種腫瘤細胞，在給予藥物治療後，觀察腫瘤的生長情形是否受到影響，期望能藉此篩選出在活體內能夠有效抑制腫瘤生長的藥物。

06

巨噬細胞

對抗細菌的入侵就靠我

林秋烽（成功大學醫學院臨床醫學研究所助理教授）
徐麗君（成功大學醫學院醫學檢驗生物技術學系助理教授）
林以行（成功大學醫學院微免所教授）

巨噬細胞參與發炎反應

組織發生發炎反應（inflammation）時，周邊**單核細胞**（monocyte）因化學趨向性（chemotaxis）而被細胞趨化激素（chemokine）的刺激吸引，並經過微血管內皮細胞層進入受損的區域，參與免疫防衛。轉移的過程中，單核細胞將轉變成為**巨噬細胞**（macrophage），並發揮先天性免疫作用（innate immunity），包括吞噬作用（phagocytosis）及促使更多發炎細胞激素（cytokine）的釋出。**除了從周邊轉移來的巨噬細胞，有些巨噬細胞是已分化，並且常駐在特定組織中**，例如肺泡中的肺泡巨噬細胞、肝臟中的庫氏細胞、神經組織中的神經膠質細胞、骨頭中的蝕骨細胞，以及脾臟中的竇細胞。巨噬細胞平均的壽命可維持數個月至數年不等。巨噬細胞在先天性及適應性免疫系統（adaptive immunity）中扮演相當重要的角色，尤其是參與發炎反應。因此，許多誘導發炎反應的相關生理及病理現象，包括感染、傷口癒合、過敏氣喘、腫瘤免疫以及血管硬化，均發現有巨噬細胞的參與。

具有吞噬外來病原體的吞噬作用

病原體（pathogen）泛指引起宿主疾病的致病因子，包括環境中各式各樣的微生物，例如：病毒、細菌和黴菌等。疾病發生與否，意謂病原體與宿主交互作用的結果，免疫學家喜歡當它是一場體內的戰爭，因為宿主體內對抗病原體的主要防衛者是免疫力（immunity）。**免疫力來自免疫系統中，細胞及相關蛋白質共同發揮的防禦能力，包括先天性及適應性。其中與發炎反應最為相關的應是先天性免疫細胞——巨噬細胞**。顧名思義，巨噬細胞具有吞噬能力，使得他們時時都可與侵入人體的病原體作戰，將其吞噬，並且藉由內含酵素及氧化毒殺作用予以分解，以防止病原體不斷增殖而破壞組織細胞。

吞噬作用最早是在1908年，由諾貝爾生理及醫學獎得主之俄國科學家——梅契尼可夫（Ilya Ilyich Mechnikov, 1845-1916）觀察海星幼蟲聚集包裹的特性而定義的免疫防禦能力。他並推論宿主體內應當會存有一群類似海星幼蟲生物特性的吞噬細胞，以執行此項免疫力。吞噬作用的發生，開始於感染性病原體的成分刺激周邊細胞，產生化學趨化細胞激素，使得巨噬細胞成熟及活化，利用非專一性的受體感應及辨識病原體後，促使巨噬細胞改變構形，形成偽足並包裹病原體。此時巨噬細胞的細胞質中，由偽足完成的吞噬微粒，亦稱「吞噬小體」（phagosome），將與細胞質中富含蛋白質分解酵素及氧化毒殺機制的溶酶體（lysosome）發生融合效應，進而形成吞噬溶酶體以毒殺、分解外來病原體。

吞噬作用的生理意義

吞噬作用的目的在於清除外來病原體，並將其有效地分解。在體內，巨噬細胞執行吞噬作用是非常旺盛的免疫力。吞噬作用屬於先天性（或稱非專一性）的防禦作用，無法因為重複性的感染而使吞噬能力更加提升。吞噬作用的結果亦使得巨噬細胞具有刺激活化淋巴球或其他免疫細胞的能力，將免疫力升級至適應性免疫系統的活化作用，以提高宿主的防禦能力。在這過程中，巨噬細胞會把微生物的相關抗原，以及與自身表現的第二型主要組織相容性複合體（MHC class II）一起表現至細胞膜，以提供輔助型T淋巴細胞（helper T lymphocyte, T_H）的辨識，即所謂先天性免疫力刺激適應性免疫系統的作用。受到活化的輔助型T淋巴細胞會分泌IFN-γ，以刺激巨噬細胞，使得巨噬細胞的吞噬能力及細胞分化成熟作用更為加強。因此，適應性免疫力亦可以輔助先天性免疫系統。

除了負責清除外來感染性微生物之外，巨噬細胞亦可將老化或其他原因導致死亡的細胞，藉由吞噬作用予以清除。死亡的細胞可被巨噬細胞或樹狀突細胞（dendritic cell）迅速辨識及吞噬，此生物現象的

●圖：巨噬細胞執行吞噬作用

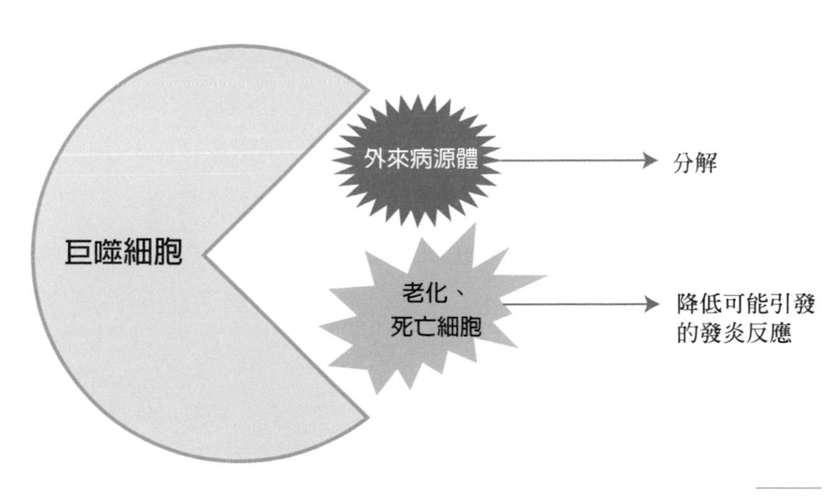

目的，是防止毒性物質或免疫刺激物由死亡細胞中釋出，並造成健康細胞的危害。有許多證據顯示，此生物現象若是有缺失，例如參與吞噬作用蛋白質的缺乏，或微生物對此機制的破壞，可能帶來的病理效應是慢性發炎及自體免疫（autoimmunity）相關疾病。主要原因是無法清除的死亡細胞會引發參與慢性發炎的細胞激素，及暴露過多的自身抗原，此效應在免疫系統可能無法維持原先的免疫耐受性（tolerance），因而導致B淋巴細胞異常活化，產生自體抗體（autoantibody）。事實上，**研究顯示巨噬細胞吞噬死亡細胞的過程中，將會產生數種抗發炎細胞激素，例如IL-10及TGF-β，其目的為降低該區域所可能引發的發炎反應，這些現象是巨噬細胞發揮的恆定效應**。

巨噬細胞的免疫活化

先天性免疫作用是免疫系統的第一道防衛。為了有效地清除病原體，**巨噬細胞除了利用其特有的吞噬作用外，亦可利用其強大的免疫活化機制，啓動更多的免疫防衛**。例如，表現在巨噬細胞膜上的受體——模式辨識受體（pattern recognition receptors, PRRs）其中之類鐸受體（Toll-like receptors, TLRs）是專為細胞用來辨識病原體相關蛋白質或組成分——病原相關分子型態（pathogen-associated molecular patterns, PAMPs），包括細菌內毒素——脂多醣體（lipopolysaccharide, LPS）、肽聚糖（peptidoglycan，又稱為胞壁質[murein]）、脂胞壁酸（lipoteichoic acid，革蘭氏陽性菌細胞壁成分）、脂阿拉伯甘露糖（lipoarabinomannan, LAM），以及單股或雙股RNA與unmethylated CpG DNA，進而刺激活化巨噬細胞。待結合受體後，利用一連串的細胞內訊息傳遞（signal transduction），促使細胞產生發炎激素及抗微生物機制。巨噬細胞產生的發炎激素將刺激活化更多型態的免疫細胞，以強化免疫力。

巨噬細胞的分化

根據周圍環境中細胞激素和微生物產物的差異，巨噬細胞在受到活化以後，會分化成為具有不同特性的細胞群體，稱之為**M1和M2巨噬細胞群體**（又稱為classical及alternative巨噬細胞群體）。這兩種不同的巨噬細胞群體，除了參與先天性吞噬作用，而能夠有效地清除外來感染性微生物以外，也因為近來被發現的細胞特性而賦予新的角色。「M1」即是我們一般所熟知的巨噬細胞，可以被發炎性細胞激素（例如IFN-γ、TNF-α、GM-CSF）、或是革蘭氏陰性細菌外膜上共有的醣酯LPS所刺激而活化。「M2」是指被IL-4、IL-10、IL-13刺激活化衍生而來的一群非M1巨噬細胞。

通常「M1巨噬細胞」會誘導促發炎細胞激素（proinflammatory cytokine）的產生，包括TNF-α、IL-1、IL-6、IL-12及IL-23，而分泌較少的IL-10，使免疫反應偏向T_H1的細胞型免疫，來對抗細胞內寄生的微生物，或是腫瘤等不正常的細胞，並且也可以高效率地製造活性氧和氮中間體（reactive oxygen and nitrogen intermediates）這些可以毒殺微生物的分子。「M2巨噬細胞」的特性則和M1巨噬細胞相反，M2巨噬細胞分泌較少的IL-12及IL-23，但是IL-10的分泌量較多，也會更進一步誘導IL-1受體拮抗物，及IL-10等抗發炎激素的產生。在M2巨噬細胞的細胞表面上，清除受體（scavenger receptor）、甘露醣受體（mannose receptor）和半乳醣受體（galactose receptor）的表現量也比較高。此外，**M1及M2巨噬細胞在趨化因子或是其受體的表現上，也偏向兩類不同的表現趨勢**。概言之，M2巨噬細胞傾向T_H2的細胞反應，例如促進抵禦寄生蟲入侵的免疫反應。M2巨噬細胞常常出現在腫瘤之中，並且被認為可以促進腫瘤的生長，因為M2巨噬細胞擁有免疫調控的功能，可以抑制過度的免疫反應，防止免疫系統攻擊正常細胞，不過也正是因為有此功能，腫瘤細胞可以藉M2巨噬細胞來妨礙免疫系統執行清除的任務而存活下來，所以**M2巨噬細胞被認為是與腫瘤生成相關的巨噬細胞**（tumor-associated macrophages, TAMs）。TAMs已被發現會分泌免疫抑制性細胞激素，例如IL-10和TGF-β等來抑制免疫反應，也可以影響腫瘤的增生、轉移以及血管新生。目前針對TAMs分子機制的深入探索，未來將可以當作癌症治療的新標的。

微生物發展出逃脫吞噬作用的策略

巨噬細胞具有吞噬病原體的能力，不過病原體也發展出反向操作的機制，可以藉著吞噬作用進入細胞而寄生在巨噬細胞中，並且隨著巨噬細胞在體內遊走。近年來的研究發現了一種新的細胞內降解作用（degradation），稱為「**細胞自噬**」（autophagy），細胞可以將細胞內的大分子或是胞器包裹在雙層膜構造的自噬體（autophagosome）中，其後自噬體會和溶酶體結合，再進一步分解自噬體中的物質。細胞內寄生的病原體也是自噬作用分解的物質之一，最近的研究發現，寄生在單核細胞內的李斯特氏桿菌（*Listeria monocytogenes*）會分泌溶血素（listeriolysin）來破壞自噬體的結構，因此可以從自噬體內脫逃出來，在細胞質中進行繁殖，若是抑制其溶血素的合成，細胞自噬作用才能夠順利地殺死細菌。結核分枝桿菌（*Mycobacterium tuberculosis*）也是寄生在巨噬細胞內的細菌，其存活的策略和李斯特氏桿菌有所不同，它可以抑制自噬體和溶酶體的結合，安然地存活在自噬體中不被分解，但若是強力誘導自噬作用的發生，結核分枝桿菌還是難逃被分解的命運。研究顯示，抗結核病的干擾素治療可以增加自噬作用的產生，也許這就是干擾素對於治癒結核病有效的因素之一。沙門氏桿菌（*Salmonella*）可以利用第三型分泌系統將分子運送進入細胞來促進自噬作用，但同時也延緩自噬體的成熟，以及自噬體和溶酶體融合的作用，藉此將自噬體當作繁殖的堡壘，用來促進自身的存活。

因此，**細胞自噬作用在巨噬細胞內扮演了正反兩面的角色，一方面宿主細胞可以利用自噬作用來分解侵入的病原體，但是病原體也發展出不同的策略，來抵抗細胞自噬作用後被分解的命運**。

結語

巨噬細胞在體內的免疫機制中扮演著非常重要的角色，除了能夠有效地吞噬入侵的病原體，達成清除的目的外，也會進一步刺激適應性免疫系統，並且藉由分泌不同的細胞激素來調控免疫反應。了解吞噬作用和病原體之間的交互關係，將有助於我們發展更有效的策略，來對抗入侵的病原體，達成對感染性疾病的控制。

07

自然殺手細胞

腫瘤哨兵

楊倍昌（成功大學醫學院微生物及免疫學研究所教授兼所長）

不需要教育、活化，自然而然就有功能

早在西元前430多年，希臘人修西提底斯（Thucydides, c. 460—395 BC）就發現人，如果罹患黑死病而能幸運痊癒，之後就不容易再受到黑死病的感染。到了金納（Edward Jenner, 1742-1823）發現感染病徵溫和的牛痘以後，可以預防致死性天花的侵犯之後，一般都認為免疫能力是動物在對抗疾病的過程中學習而來的能力。二十世紀早期的免疫學，也是以這些具有學習、自我辨識、專一性、能記憶的適應性的免疫力（Adaptive immunity）為研究主流。事實上，動物體在遇到感染性疾病侵襲時，至少需要一些時間才能漸漸的發動這種具有應變性的免疫力。理論上，動物體光靠這種有應變性、可調節的免疫力，對於急性感染總是會發生緩不濟急的情況。隨著科學的進展，後來的確也發現，有一些可以殺死微生物、阻斷感染的免疫反應，可以非常快速啓動。而且這類免疫力並不需要事先學習，好像先天就具有這種能耐。

大約在1970年左右，科學家在檢驗動物體內對抗腫瘤細胞的免疫能力的實驗中，常常可以看到正常人的免疫細胞，就具有一些可以殺

死腫瘤細胞的能力。但是它與一般應變性的免疫殺死腫瘤細胞的能力比起來，這種先天性免疫（natural immunity）的效率不夠高。又因為，當時科學實驗的精準度不夠，而讓許多人仍舊懷疑這類所謂的「**先天性免疫力**」是否只是實驗上的人為誤差而已。直到1973年以後，先天性免疫毒殺腫瘤細胞的能力，陸陸續續也在不同的動物實驗中確證，並且粗略確認出一種新的淋巴球，負責這種先天性免疫反應。它們既不屬於T細胞，也不屬於B細胞的淋巴球。經過科學的反覆驗證之後，當初反對的科學家才終於承認，動物體內先天就具有基本的能力，可以抵抗微生物的感染，並且抑制癌症發生。這種比一般T／B細胞稍大、而且胞內帶有些小顆粒的淋巴球，並不需要教育、活化，自然而然就有功能，因此就將它命名為**自然殺手細胞**（natural killer cell, NK cell）。隨後的臨床觀察證據也顯示，許多血癌病人的自然殺手細胞，數目都比正常人來得少。如果動物體內的自然殺手細胞發展不正常，細胞癌化病變及轉移的機會就會增加很多。此外，包括HIV、皰疹病毒（Herpes Virus）等等病毒的感染，及發病的嚴重程度也和病人的自然殺手細胞的活力有關。自然殺手細胞功能越差，病情越嚴重。

自然殺手細胞毒殺目標細胞的武器

自然殺手細胞由骨髓細胞發育成淋巴原始細胞（lymphoid cell lineage），再分化而來，它們的外型像淋巴球，單核不分裂，大約占循環中淋巴細胞族群的5%至10%。若由殺腫瘤細胞功能的強弱來區分，人類的自然殺手細胞可以再仔細分類成兩群（表1）。此外，還有另外一群自然殺手細胞帶有部分T細胞的特徵，特別稱為「NK T cell」，基本上，它們的功能都類似。自然殺手細胞有三種主要的武器，用來毒殺目標細胞：

- 穿孔（the perforin/granzyme-containing granule exocytosis pathway)。在遇到會導致生病的目標細胞時，自然殺手細胞會釋放出原本儲存在胞內顆粒的穿孔素（perforin）。穿孔素會鑽入目標細胞的細胞膜，形成孔洞。當病變細胞的細胞膜被破壞之後，再加上顆粒酶（granzyme）這種破壞性溶解酶的分解，病變細胞只有崩解一途。

- **活化目標細胞的死亡受體**（the death-receptor-ligand pathway），**進而啓動細胞凋亡的訊息傳遞**。自然殺手細胞遇到目標細胞而活化之後，會透過所表現的Fas單體（Fas Ligand, FasL）、腫瘤壞死因子相關細胞凋亡誘導配體（tumor-necrosis-factor-related apoptosis-inducing ligand, TRAIL）等等分子來驅動病變細胞凋亡。
- **產生侵蝕性的自由基：一氧化氮**（nitric oxide）。一氧化氮是化學活性很高的自由基分子。它侵襲蛋白質，破壞胺基酸鍵結的能力非常強。當蛋白酵素功能受損，病變細胞也就活不了（圖1）。

表1：自然殺手細胞可以分成兩群

細胞外觀	細胞表面抗原標誌CD94；CD161	細胞表面抗原標誌	殺腫瘤細胞作用	分泌細胞激素 (IFN-γ ,TNF-α)
示意圖	有	CD56強 CD16+/-	強	少
H/E stain	有	CD56+ CD16強	弱	多

圖1：自然殺手細胞的毒殺機制

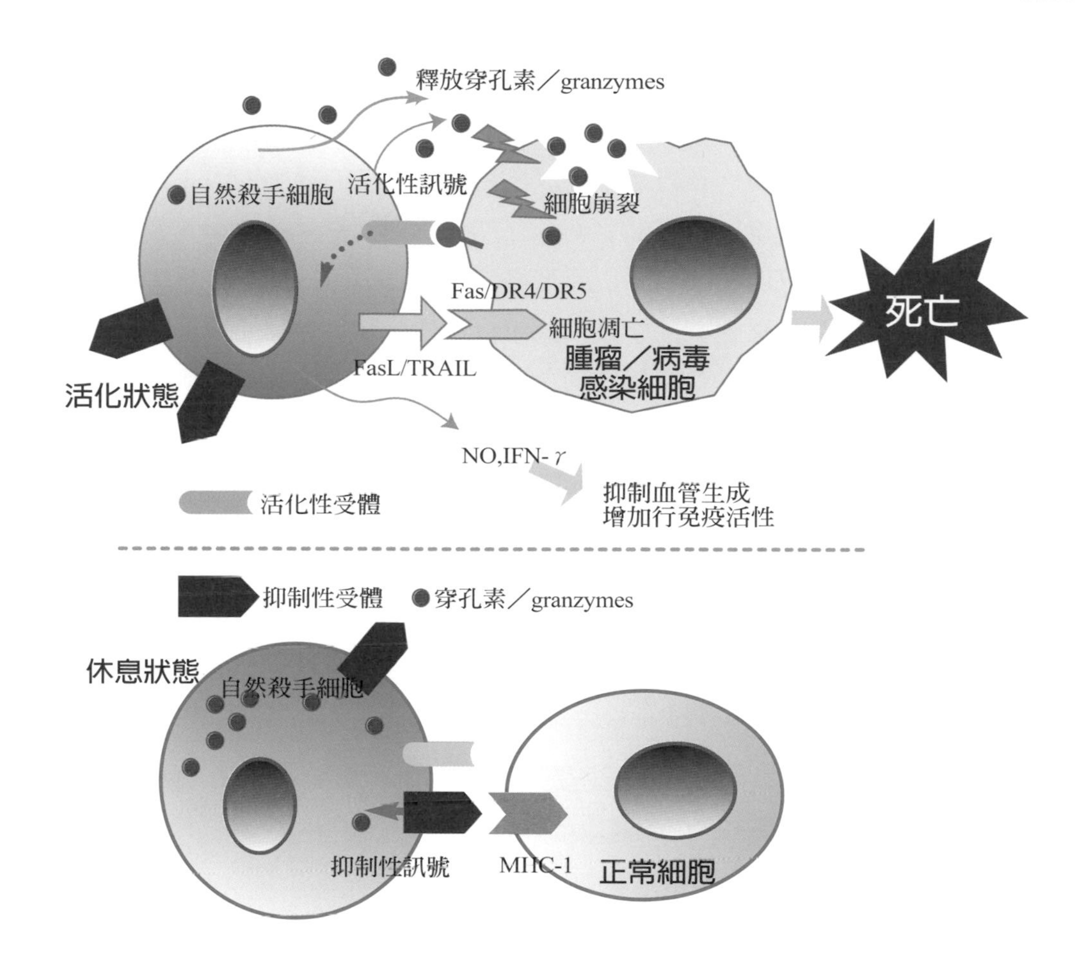

除了這三種武器之外，自然殺手細胞還會分泌腫瘤壞死因子TNF-β，IFN-γ等激素，來抑制腫瘤周圍血管的生成，或是加強應變性的免疫力。它們也都能間接防止腫瘤生長。

與毒殺型T細胞互補，達到有效的防衛

自然殺手細胞不需要免疫過程的教育，天生就是個殺手。然而它並無法隨隨便便的濫殺無辜，放任它傷害正常的細胞，因為這對動物本身並不是好事。自然殺手細胞雖然時時刻刻都準備攻擊，但是它只能在特定的條件下，才可以啓動武裝。自然殺手細胞的攻擊能力受到細胞表面上兩種表面受體（receptor）的控制：一類負責抑制毒殺作用，另一類則會促進毒殺能力。藉由這兩組分子之數量及訊息傳遞強弱，可決定目標細胞之命運。**抑制毒殺作用**的表面受體分子包括KIRs、CD94-NKG2A等等。這類受體會辨識正常健康細胞的組織蛋白——第一型主要組織相容性複合體（MHC class I），進而傳入抑制訊號，讓自然殺手細胞處在休息狀態。**促進毒殺能力**的受體則有CD161、NKG-2D等等，只要被啓動，自然殺手細胞就會是個非常有效率的殺手。整體而言，自然殺手細胞的功能與毒殺型T細胞（cytotoxic T cell）很像。它們的差別是**自然殺手細胞反應迅速、不具有抗原專一性**。此外，自然殺手細胞是清除不表現組織蛋白MHC class I的細胞。相對的，毒殺型T細胞則需要辨認MHC class I後，才會啓動細胞毒殺能力。當病原菌入侵時，需要高專一性的免疫防衛時，免疫系統就藉著抗原及組織蛋白MHC class I的**毒殺型T細胞**執行任務，但是如果在病毒感染細胞，或是腫瘤細胞生長的早期，病變細胞上的組織蛋白MHC class被關閉，則由**自然殺手細胞**發揮功能。這兩套系統在功能上互補，達到有效的防衛。通常在身體細胞受到病毒感染，或是癌化病變的過程中，細胞會失去組織蛋白MHC class I，並且表現可以活化促進毒殺作用受體的胞膜蛋白質，在這個條件下，自然殺手細胞就會被活化，變成很

有效率的擊殺機器。因為這是個非常有效預防腫瘤細胞增生、擴散的防衛機制，也因此自然殺手細胞才會被稱之為腫瘤哨兵。

參考資料：

· Oldham RK. 1983, Natural Killer Cells: Artifact to reality: An odyssey in biology. Cancer Met Rev. 2:323-336.

· Whiteside TL, Vujanovic NL, Herberman RB. Stagg J, Smyth MJ. 1998, Natural killer cells and tumor therapy. Curr Top Microbiol Immunol.230:221-244.

· Smyth MJ, Hayakawa Y, Takeda K, Yagita H, 2002, New aspects of natural-killer-cell surveillance and therapy of cancer. Nat Rev Cancer. 2:850-861.

· Zamai L, Ponti C, Mirandola P, Gobbi G, Papa S, Galeotti L, Cocco L, Vitale M. 2007, NK cells and cancer. J Immunol. 178:4011-4016.

08

肥胖細胞

過敏反應的第一線

吳自強（高雄長庚醫院兒童過敏免疫風濕科主治醫師）
楊崑德（高雄長庚醫院醫研部主任）

肥胖細胞（mast cells）在過敏反應中的樞紐地位

過敏反應為一種免疫系統不正常反應的狀態，這種不正常免疫反應的最重要執行者就是肥胖細胞。正常來說，免疫反應是宿主為了保護個體免於外來異物之入侵的保衛系統，但此反應過當或不適當時，便造成過敏反應。常見的臨床症狀包括氣喘、過敏性鼻炎、異位性皮膚炎、蕁麻疹，以及會致命的過敏性休克。肥胖細胞在這種急性過敏反應的過程初期，扮演一個重要且關鍵的角色，主要可由圖1來說明：

- 當人們第一次接觸到過敏原，人體內抗原呈現細胞（antigen presenting cells）將過敏原傳遞給T淋巴球，並刺激B淋巴球產生對此過敏原有專一性的免疫球蛋白。此免疫球蛋白又稱「抗體」，分為IgA、IgD、IgG、IgE、IgM五種。若人們再次碰到同樣的過敏原，正常抗體有阻止或清除這些過敏原的功能。但如果形成異常的IgE抗體（Immunoglobulin E），此種IgE抗體會和肥胖細胞結合，而表現在肥胖細胞的表面上，隨時可以執行過度（過敏）反應。
- 若人們再次接觸過敏原時，此過敏原會立即和肥胖細胞上的IgE結

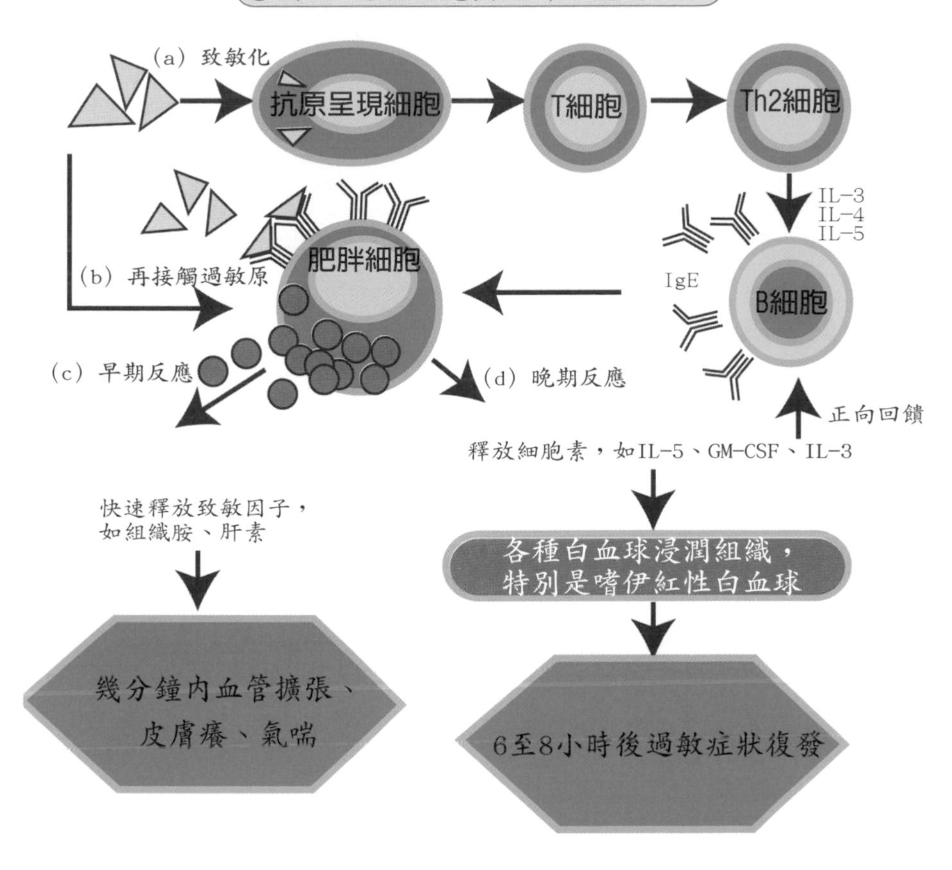

(a) 致敏化：接觸過敏原後，抗原呈現細胞反應給T淋巴球，進而主導Th2細胞的免疫反應，去刺激B淋巴球產生過敏抗體IgE。

(b) 再接觸過敏原：再接觸的過敏原和親附於肥胖細胞上的IgE會結合，並進而刺激肥胖細胞活化，釋放過敏顆粒。

(c) 早期反應：在幾分鐘甚至幾秒鐘內，肥胖細胞會放出預先合成因子，如組織胺或肝素，造成血管擴張、皮膚紅癢，甚至氣喘。

(d) 晚期反應：肥胖細胞也會釋放其他重新合成因子，如ECP、IL-3、IL-5。這會吸引其他白血球，特別是嗜伊紅性白血球，造成6至8小時後過敏症狀復發，或其他慢性過敏症狀。

（摘自《長庚醫誌》2000; 23: 641-646）

合，活化肥胖細胞。而被活化的肥胖細胞會釋放很多媒介物（mediators），造成過敏反應。這些媒介物質包括早期過敏反應中的預先合成因子（preformed mediators）如組織胺（histamine）、肝素（heparin）、白三烯素（leukotrienes）、前列腺素D2（prostaglandin D2）、胰蛋白酶（tryptase）等酵素，以及晚期反應的新合成因子（newly synthesized mediators）如嗜伊紅性血球活化因子（Eosinophil cationic protein, ECP），及IL-3、IL-4、IL-5等趨化（chemotactic）或活化（activating）因子。這些媒介物作用到各組織，就造成氣喘或蕁麻疹等等過敏的臨床症狀。

肥胖細胞主導過敏反應的分期

■立即性反應（Early-phase reaction）

立即性反應主要發生在幾分鐘甚至幾秒鐘內，原理在於肥胖細胞被活化以後，會快速釋放致敏因子，例如組織胺和胰蛋白酶，造成皮膚潮紅、氣管收縮，甚至休克。

■後期的反應（Late-phase reaction）

在立即性反應過後6至8小時，肥胖細胞會再製造細胞素，如IL-5、GM-CSF、IL-3來吸引各種白血球，特別是嗜伊紅性白血球（Eosinophil）造成組織的浸潤。這些細胞激素和浸潤細胞以免疫陰性（Th2）反應細胞為主，能進一步活化肥胖細胞以及嗜伊紅性白血球，進而產生長期反覆的發炎和器官過度敏感。

肥胖細胞的分布與不同致病原理

肥胖細胞在體內各組織都有，在黏膜上尤其多，主要分成「結締組織型態」的肥胖細胞，及「黏膜型態」的肥胖細胞二種。肥胖細胞的活化，在疾病或發炎的發展上扮演很重要的角色，因為肥胖細胞內含有很多顆粒，而顆粒內含有很豐富的媒介物，主要為「組織胺」。組織胺可活化血管內的內皮細胞，且增加血管的通透性，進而導致組織的紅、熱、腫、痛；也可以吸引其他的白血球或發炎細胞到局部的發炎組織。至於**肥胖細胞的活化**，主要分成兩種方式：

- 過敏原刺激附著於肥胖細胞上的IgE免疫球蛋白，進而活化肥胖細胞，造成過敏顆粒釋放反應（如圖1所描述的過敏反應）。
- 藥理上的化合物如嗎啡（morphine）或過敏毒素（anaphylatoxin）如C3a及C5a直接活化肥胖細胞所引發的顆粒釋放作用。這類反應又稱「類過敏反應」（Anaphylactoid reaction）。放射性對比劑或局部麻藥的反應，就是典型的類過敏反應。此反應不需要IgE抗體的作用，但緊急性及致命性和過敏性反應相似。

過敏反應的測試，可分為直接反應以及間接反應測試

■直接測試肥胖細胞的皮膚過敏試驗（skin prick test）

由於肥胖細胞上帶有IgE抗體接受器，可以吸附過敏抗體IgE於細胞表面，並且分布於各器官內。所以直接在皮膚上注射抗原或過敏原後，即可在幾分鐘（5至20分鐘）內看到因肥胖細胞主導的免疫反應（快速表現紅腫和皮膚癢的現象，如圖2所示），這樣就可以正確診斷過敏患者是對何種抗原過敏。

■間接檢驗過敏反應

由於過敏病人的B細胞會製造出很多IgE，除了附著於肥胖細胞的表面，也會存在於血清裡面。因此臨床上也可以測定血中特異性IgE抗體的存在，從而間接檢查病人對特定過敏原是否有過敏，以及可從IgE

抗體濃度高低，來判斷過敏程度的嚴重度。我們常使用的方法是利用過敏原吸附抗體測驗（radioallergosorbent test, RAST）來定量過敏原特異性的IgE（allergen-specific IgE），如牛奶、蛋白、塵蟎等等。

一般而言，皮膚過敏試驗簡單、便宜、方便，而且可以立即得到結果。但是皮膚過敏試驗會較疼痛，有十萬分之一的機會可能引起過敏性休克，且容易受最近服用抗組織胺藥物的影響。另一方面，利用機器測定血中IgE僅需要抽血，且較不疼痛及沒有過敏性休克的危險性，亦不受最近服用藥物的影響，但是成本昂貴許多。

圖2：皮膚過敏試驗

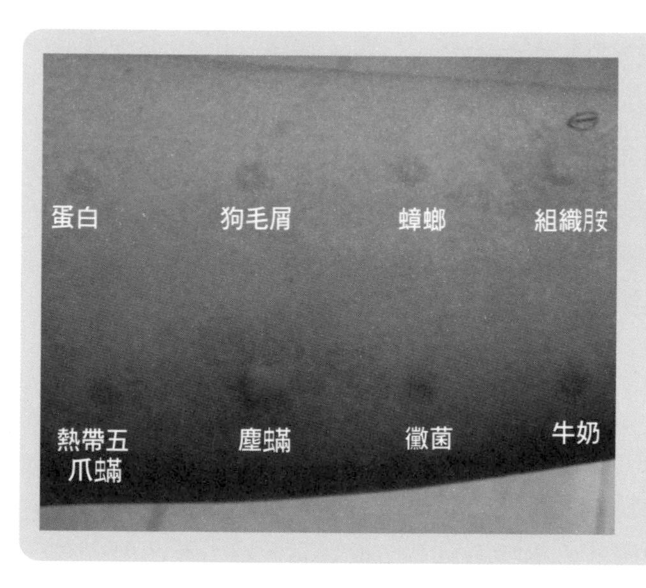

臨床上常用的方法爲圖2的八爪試驗。注射方式是將抗原刺入皮內，在15至30分鐘內可以看到典型的過敏反應。如注射處的紅、腫和癢。若有腫（wheal）大於5mm，則可以判定對這些特定抗原有過敏反應。其中組織胺一定會產生過敏反應，可以做爲陽性控制組。從這個試驗可以比對出此人對塵蟎有過敏，其他過敏原則不明顯。

09

嗜伊紅性白血球

啓動過敏的連鎖反應

謝奇璋（成功大學醫學院教授）

第一次看染色血液抹片的人，大概很難忘記嗜伊紅性白血球（eosinophils，以下簡稱「**嗜伊紅性球**」）的細胞型態：橘紅色又帶立體感的飽滿細胞質顆粒，包圍整齊地分化成兩頁的細胞核。嗜伊紅性球在以藍色為主的血球染色影像中，顯得獨樹一幟。

這群特殊的白血球，其實在現代免疫學萌芽的階段，就引起免疫學家的注意。免疫學的開山始祖保羅．埃利希（Paul Ehrlich）在1879年就精確地描述了這個嗜伊紅性白血球。一開始時，大家只知道它似乎和過敏氣喘有關。一百多年後的今天，我們終於對這個細胞在免疫系統中獨特的重要性，有了較清楚的認識。

鮮豔的嗜伊紅顆粒的角色之謎

嗜伊紅性球細胞質中包含四種顆粒，這些顆粒其實都是細胞儲存媒介物質的分泌小胞器，其中最大而明顯的，就是「類結晶狀顆粒」。四種鹼性的分泌蛋白質，是這種在顯微鏡下呈現三度空間結構的蛋白質中的主要成分。這些蛋白質包括對真核多細胞寄生蟲具有毒性的MBP（主要鹼性蛋白質）、ECP（嗜伊紅性陽離子蛋白）和EDN（嗜伊紅性球神經毒素），以及一個獨特的氧化酵素EPO（嗜伊紅性球過氧

化酶）。這些獨特的蛋白質的共同特性，就是對蠕蟲類寄生蟲具有殺傷力。**由於這些蛋白質會黏著到酸性的紅色染劑，這種顆粒就是細胞被染上橘紅色色彩的原因**。

對真核寄生蟲入侵的防衛主力

和系出同門的嗜中性球不同，嗜伊紅性球的防衛機制以對付細胞外的侵入者為主。當細胞感受到外來刺激時，嗜伊紅性球就啓動分泌上述毒殺性蛋白質的功能，來對付鄰近的寄生蟲。除了**類結晶狀顆粒**以外，在細胞發展早期就出現的**初級顆粒**（primary granules）中，包含查克-立登（Charcot-Leyden）結晶蛋白，也會由嗜伊紅性球中分泌出來，在組織中發揮作用。除了這些蛋白質之外，嗜伊紅性白血球顆粒也有產生**大量氧活性分子**的功能。這些毒性物質在身體有防禦需要時，可以快速的分泌出來，達到抵抗外來侵入者的目的。在平常則將這些有毒物質安全的儲存在顆粒的胞器膜裡，而不會傷害周圍的組織細胞。怎樣調節這個具有潛在危險性的細胞功能，就需要許多特殊的細胞分子和細胞間的互動來完成。

和第二型幫助型T細胞互助的免疫反應

免疫細胞的特色是善於利用細胞間的互助合作，達到自我擴大的免疫反應，嗜伊紅性白血球也不例外。這些細胞利用與第二型幫助型T細胞（T_H2）相似的運輸機制，進入過敏發炎組織中，再加上本來就已經在組織裡的肥大細胞（Mast cell），形成互相刺激的互助系統，達到啓動免疫反應的目的。T_H2細胞的特色為分泌包括IL-4、IL-5、IL-6、IL-13等細胞激素為主的第二型T_H反應介質，其中IL-5對嗜伊紅性球從骨髓的先驅細胞，發育到成熟細胞的發育過程特別重要。以T_H2為主的免疫反應，包括過敏反應、寄生蟲侵入反應等，也因此會觀察到強烈的嗜伊紅性球參與發炎反應。

●圖：嗜伊紅性球的功能

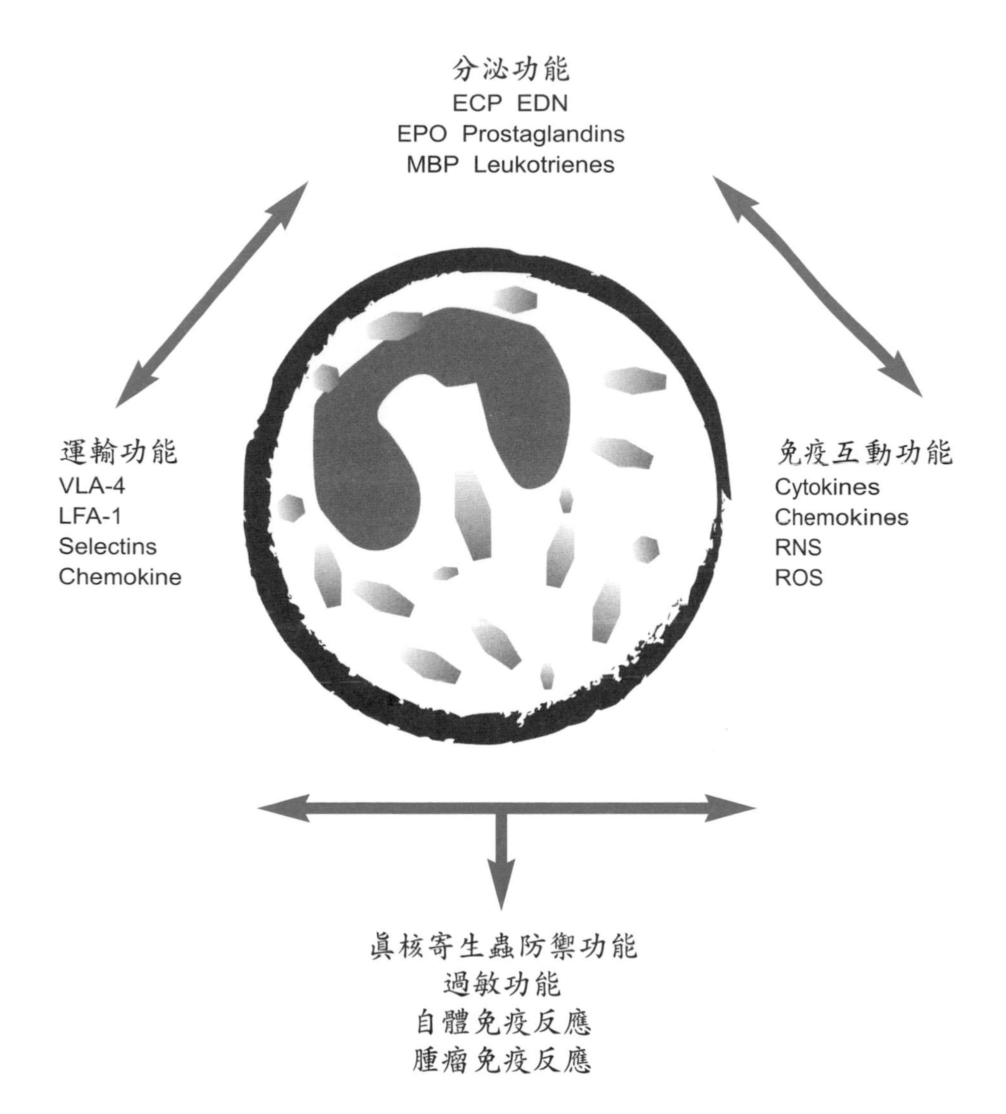

真核寄生蟲防禦功能
過敏功能
自體免疫反應
腫瘤免疫反應

嗜伊紅性球並非單方面接受T_H2細胞的刺激，它在細胞活化後分泌出來的物質，有許多可以回頭作用在T_H2細胞上，達到雙向互動，彼此加強的目的。這些細胞激素包括IL-2、IL-3、IL-4、IL-5、IL-6、IL-13等，脂質代謝活性產物（如前列腺素合成素[prostaglandins]、白三烯素[leukotrienes]），以及趨化移動素（chemokines）。這些分泌物質一方面使組織中鄰近的細胞（包括T細胞、B細胞和肥大細胞等）活化，另一方面將循環中的白血球徵集到發炎組織中，使不同種類的細胞活性整合協調，並且達到所需要的發炎強度。

Location, location, location:
嗜伊紅性球怎樣進入發炎組織

嗜伊紅性球表面為了達成這些特殊的免疫功能，表現出許多與其他顆粒球不同的獨特分子。嗜伊紅性球上還表達出特殊的趨化細胞素受體。這些分子決定細胞移動的方向，使離開血液循環的白血球移行到發炎的組織裡面。嗜伊紅性球上有特殊的嗜伊紅性移動素（eotaxin）受體，所以對T_H2型免疫反應組織中的趨化因子特別敏感，比較容易進入過敏的發炎組織中。除了和嗜中性球類似的黏著分子（如選擇性蛋白類[selectins]和淋巴細胞功能相關抗原1[Lymphocyte Function Associated Antigen 1, LFA-1]家族的整合分子）以外，嗜伊紅性球和淋巴球類似表現出Very Late Antigen-4（VLA-4）分子。VLA-4可以和血管內皮細胞上的第一型血管細胞黏著分子（VCAM-1）結合，而把特殊的白血球帶到發炎組織中。嗜伊紅性球上的VLA-4因此賦予細胞有別於嗜中性球的運輸功能。筆者先前的系列研究發現，VLA-4除了可以用表現與否來決定細胞的輸送目標外，也可依照組織環境中的氧化還原狀態來決定黏著功能。

當過敏原引發發炎反應時，組織中的氧化壓力比平常增加。依照不同的氧化壓力程度，黏著分子可能會產生不同的分子組態，而改變細胞黏著的程度。嗜伊紅性球上的VLA-4，可能因組織中其他白血球產生的氧活性分子，而改變成黏著性較高的組態，因而啓動了過敏的連鎖反應。

嗜伊紅性球與人類疾病的關係

嗜伊紅性球不只出現在過敏與寄生蟲感染。在某些腫瘤與自體免疫疾病中，嗜伊紅性球也存在於組織中，並且扮演防衛或致病機轉的重要角色。雖然真核寄生蟲感染產生的疾病，在我國及其他開發國家中已經比較少見，但在世界上許多區域仍然是最主要的疾病。此外，嗜伊紅性球針對真核細胞演化出來的細胞執行機制，對於同為真核細胞的癌細胞，可能具有有效的免疫抑制反應。從醫學研究中，我們逐步了解到這種特殊白血球的角色和分子作用機轉，對於發展這些免疫相關疾病的有效治療，將會有越來越重要的衝擊。.

10 過敏反應如何發生？

蔡肇基（台中榮民總醫院免疫風濕科主治醫師）

前言

為了防衛外來物質的傷害，人體的免疫系統會自行啓動並對抗外來的物質。但如果免疫系統的反應太過劇烈，因而造成對人體的傷害，就稱為「過敏反應」。環境中的過敏原與刺激物，跟呼吸道過敏的關係非常密切，例如汽車排出的二氧化氮及汽油不完全燃燒產生的臭氧就是刺激物，它會使氣管上皮發炎，引發氣管敏感。此外，當家塵中的塵蟎過敏原數量過多，也很容易產生過敏。

過敏反應的分期

過敏反應可以分為三期：**致敏期**、**立即型反應期**及**遲緩型反應期**。

有過敏體質的人，第一次接觸到適量的過敏原時，就會**致敏**，此時體內的B淋巴細胞會製造及分泌過敏原特異型IgE，這些IgE會附著在皮下或氣道上皮之肥胖細胞上，但病人不會有任何過敏症狀。當第二次接觸到過敏原時，肥胖細胞上之IgE與過敏原結合後，會釋放出發炎物質，其中最主要的有組織胺，它會在接觸到過敏原後的數分鐘內產生臨床症狀，例如皮下水腫及氣管收縮等**立即型反應**。另外一些發炎物質如白三烯素及細胞激素，會在接觸到過敏原後的數小時至數天內產生臨床症狀，例如皮下細胞浸潤形成結節，及氣管腫脹、收縮之**遲緩型反應**。

通常過敏反應可以依照過敏物質進入體內的途徑而分成**皮膚過敏**、**呼吸道過敏**及**消化道過敏**三種。這三種過敏反應，以「呼吸道過敏」產生的疾病，如氣喘及鼻子過敏，最為嚴重。

過敏體質是造成過敏反應的重要因素之一

為什麼會有過敏反應？具有過敏體質的人暴露在高濃度的過敏原環境下，是造成過敏反應的原因。當中遺傳因素扮演著重要角色：人類的二十三對染色體中有三對會影響過敏——第十一對染色體與IgE受體之製造有關；第五對染色體與第四介白質（IL-4）合成有關，它是IgE製造時最重要的調節因子；第六對染色體與細胞免疫反應有關，它決定細胞組織抗原的表現。這種多基因表現造成的疾病，通常較不容易治療。

根據統計，父母都無過敏疾病，則子女罹患過敏病的機率為12%；若父母當中一位有過敏疾病，則子女罹患過敏病的機率增為30%；若父母兩者都有過敏，則子女罹患過敏的機率將高達60%。由此可知，**遺傳與過敏疾病的發生，關係非常密切**。

環境中的過敏原、病菌及刺激物相互配合，才能發生過敏反應

環境中的過敏原及刺激物，是促成過敏反應的主要原凶。空氣污染一直被認為是造成呼吸道發炎的最主要原因之一，**尤其是汽車排出的二氧化氮，及汽油不完全燃燒產生的臭氧**。根據研究顯示，人只要在0.4ppm濃度的臭氧下運動2小時，就會使氣管上皮發炎。因此置身於汽車多且汽油不完全燃燒的環境中，是造成氣喘的危險因素之一。

環境中的過敏原與呼吸道過敏的關係更為密切。當人在免疫功能還不健全的嬰兒期接觸到過敏原時，很容易對過敏原產生IgE抗體。這些IgE的產生與環境中過敏原的濃度有關。以**家塵**蟎為例，當家塵中的塵蟎數目超過每公克一百隻以上時，就比每公克一百隻以下的環境更容易產生過敏。

為了了解過敏疾病與環境的關係，1997年我們曾在《台灣醫誌》發表研究成果——〈台北地區與金門地區引起呼吸道過敏之過敏原的比較〉。我們利用統計分析兩地區之差異，發現金門地區的過敏原主要是室外的豬草，而台北地區的主要過敏原是室內的家塵蟎及美國蟑螂。在這項研究中，金門地區過敏病人有78.9%為豬草過敏，而台北地區對豬草過敏的人只有6.8%。在台北地區，最常見的過敏原是家塵蟎及美國蟑螂，分別占90.6%及25.0%，而金門地區卻只有25.7%及12.9%。

除了皮膚測試陽性率差異甚大之外，血清中的過敏球蛋白IgE也有差異。金門地區較多過敏病人對豬草過敏，且血清中對豬草之過敏球蛋白IgE的濃度較高；台灣地區則較多過敏病人對塵蟎過敏，且血清中對塵蟎過敏球蛋白IgE的濃度較高。從這項研究結果可以發現，環境中的過敏原與過敏疾病的發生關係非常密切，因為金門及台北地區並無人種的差異。

除此之外，我們也利用動物研究空氣中臭氧與呼吸道過敏的關係。因為天竺鼠很容易對蛋白過敏，所以我們讓天竺鼠分別接觸臭氧及白蛋白，結果發現，同時接觸臭氧及白蛋白的天竺鼠，氣管發炎程度最嚴重，且呼吸道最敏感，亦即氣喘最嚴重。從這組天竺鼠的肺部病理解剖發現，發炎細胞比其他組都還嚴重，在高倍顯微鏡下有24顆巨噬細胞；而單一接觸白蛋白這組有18顆巨噬細胞；單一接觸臭氧這組則有14.5顆巨噬細胞。

結語

過敏反應的發生，主要原因是**內在的體質因素**及**外在的環境因素**。體質是無法避免的因素，因此僅能從環境中的致敏原來避免，在被致敏之前則以提高皮膚及氣道之黏膜細胞的健康為主要重點，如感冒病毒預防針之注射等，當被致敏之後，則以降低環境中之過敏原為主，在台灣即是以降低家塵螨為主。

雖然過敏反應引起的臨床症狀非常多，有時也會致命，但是過敏疾病卻最容易預防，只要能檢查出過敏原來加以避免，就可以達到預防效果，由於過敏體質的人非常多，且環境中之過敏原非常普遍，因此愈早預防效果愈好。

11 抗IgE抗體與氣喘

江伯倫（台大醫學院小兒科教授）

前言

過敏疾病發生的主要原因，是由於體內產生的過敏性抗體，也就是「IgE」，與外來的過敏原接觸後，刺激體內一些細胞分泌出發炎物質，而引起支氣管收縮、血管擴張及黏膜分泌物增加等現象而引起症狀。目前較為大家所熟悉的一些過敏原包括塵蟎、黴菌孢子、蟑螂、貓及狗等寵物的毛及花粉等。在台灣，由於氣溫及濕度的關係，又以家塵蟎、蟑螂及黴菌孢子最為重要。

在大多數的家庭中，可以輕易地在床墊、沙發、地毯及窗簾等處，找到這些過敏原的蹤跡。台灣地區引起過敏疾病的過敏原，跟歐美國家有些不同，在歐美國家，最常見的花粉過敏原，因為台灣的氣候較為潮溼所以比較少見。基本上過敏疾病就是一種慢性的發炎疾病，發生在**呼吸道**便會引起**氣喘**的症狀，發生在**鼻黏膜**便會引起**過敏性鼻炎**，而在**皮膚**則是引起**異位性皮膚炎**。由於是慢性的發炎疾病，所以如果疾病進行的時間過長，便容易導致纖維化或是變形，必須有效地預防及治療，才能夠真正的控制過敏疾病。

過敏疾病的致病機轉

過敏疾病的發生機轉，主要是因為過敏原會刺激我們的免疫系統，製造IgE的過敏抗體，這些IgE過敏抗體會經由肥胖細胞（mast cells）表面上的受體，黏附在這些肥胖細胞上，而再次接觸到過敏原時，這些過敏原會與IgE交叉結合而活化肥胖細胞，釋放出大量的發炎物質。這些發炎物質則進一步導致過敏的症狀，而引起我們所看到的臨床症狀。

嚴格來說，過敏疾病的反應可以分成早期（early phase）及晚期（late phase）兩個階段。在過敏疾病的**早期**反應時，可以觀察到由肥胖細胞所釋放出的發炎物質，包括如組織胺和白三烯素等，而這些發炎物質是導致氣管收縮、分泌物增加的主要原因。但是在發炎的**後期**，由於有為數相當的發炎細胞也會參與整個發炎反應，所以在過敏反應的晚期，反而是以細胞的浸潤為主。這些細胞在過敏反應部位，會分泌出更多發炎的物質，而導致持續性的發炎反應。如果此一發炎反應持續過久，則會造成如纖維化或是氣管的變形，一但導致氣管變形便不容易回復正常。因此，在整個致病機轉中，IgE抗體可以說是最重要的分子，**如果能夠抑制IgE的功能，將有助於過敏疾病的控制**。

氣喘的治療

目前有關氣喘的治療，主要還是以症狀治療為主，包括：

■抗組織胺治療

由於肥胖細胞遇到外來的過敏原時，一旦被活化，最先釋放出來的發炎物質便是組織胺，組織胺會直接作用在皮膚、鼻黏膜及支氣管上，而導致症狀的發生。所以抗組織胺的使用對這些過敏疾病，應該都有改善的效果，也是最常使用的藥物之一。同時，最新研發出來的抗組織胺不會通過中樞神經系統而作用在腦部，所以不會有嗜睡的副作用。

■氣管擴張劑

氣喘發作時，在急性期最重要的就是讓患童的氣管能夠擴張，目前較常被用來減輕氣管收縮症狀的，包括最常使用的乙二型交感神經親和劑、茶鹼和抗乙醯膽鹼製劑等藥物。最近的研究趨勢，甚至開始將長效型的乙二型交感神經親和劑應用在氣喘病的長期預防和治療上，所以未來這類藥物在氣喘的治療上，還是占有相當重要的地位。

■抗發炎藥物

當然在所有的抗發炎藥物中，還是以類固醇的效果最好，但是因為類固醇的可能副作用還是會讓使用者擔心，所以仍有研發許多其他的抗發炎藥物。其中一種就是抑制肥胖細胞去顆粒化作用的藥物，此種藥物必須在肥胖細胞去顆粒化之前，也就是將一些發炎物質釋放出來之前便使用，才有效果。

目前最常用的抑制肥胖細胞去顆粒作用的有「咽達永樂」（cromolyn）的藥物，但是這幾年似乎逐漸被新的藥物所取代。其中較重要的便是「白三烯素拮抗劑」，由於白三烯素是過敏反應的重要發炎物質，因此能夠將此一發炎物質抑制下來，也就可以得到相當好的臨床改善效果。這些年來，白三烯素拮抗劑在臨床上的使用相當多，而且也得到相當不錯的效果。

■吸入性類固醇和長效型氣管擴張劑

前面提過類固醇可能會有一些副作用，因此許多病患都有些疑惑。所以目前藥廠都將類固醇的藥物改成吸入型，以降低劑量和副作用。此外，最新的劑型是將吸入型類固醇和長效型氣管擴張劑合併使用，臨床研究結果發現，合併使用的效果比單一使用的效果來得更好。

■減敏療法

其實減敏治療由來已久，甚至有超過一百年以上的歷史。最早的研究者由於認為過敏原是跟細菌一樣的病原體所引起，所以便將花粉之類的過敏原注射到患者體內，希望能夠產生理想的免疫力。所以減敏治療其實就是將過敏原注射入患有氣喘的小朋友皮內，而且是由低劑量逐漸增加，要增加到最高劑量，需要約四個月的時間。在接受最高劑量後，再將接受注射的間隔時間逐漸拉長，整個治療的過程，可能需要約兩年左右。

■生物製劑

這幾年來，有愈來愈多的生物製劑被用在氣喘的治療上，其中包括抗IgE抗體、抗IL-5、抗IL-13等抗體，都發展出來應用在氣喘的治療上。目前，主要的生物製劑為抗IgE抗體的「樂無喘」（Xolair），已經在台灣上市了。

抗IgE抗體的應用

抗IgE抗體是目前在中研院從事研究的張子文教授，早在1987年在美國研究時，所開發出的一種類似生物製劑的藥物，其基本的想法就是要抑制過敏患者體內過多的IgE抗體。所以張教授將人類的IgE抗體注射入小鼠體內後，產生對抗人類IgE的單株抗體，再進一步證明此一單株抗體能夠有效地降低體內的IgE濃度。為了讓此一抗體能夠應用在人體，而不會在人體內引起其他的抗體反應，於是又利用分子生物學的方法，將小鼠抗體的固定區基因換成人類的抗體固定區基因，如此一來，就可以降低注射到人體產生不良反應的機會。此一步驟在生物醫學技術上稱之為「擬人化」（humanized），可以讓這些新發展出來的擬人化單株抗體反覆使用在人體。

此外，抗IgE抗體在開發時最需要避免的問題，便是一般的抗IgE抗體使用時，如果產生交叉結合（cross-linking），反而會導致肥胖細胞的活化，而出現嚴重的過敏症狀，而非治療效果。還好，張教授的研究團隊找到的抗體具有降低IgE和肥胖細胞表面IgE受體的表現，因此可以得到很好的治療效果。經過約二十年的動物實驗和不同階段的臨床試驗，抗IgE抗體的藥物「樂無喘」終於上市。目前在GINA（Global Initiative for Asthma）的治療手冊中，是列在嚴重型氣喘病患者的用藥，可以讓這些對其他藥物治療都沒有效果的患者看見一道新的曙光。

目前台灣衛生署也已核准，抗IgE抗體可以使用在已接受高劑量吸入性類固醇及長效乙二型作用劑（β2-agonist）治療下，仍有頻繁的日間症狀或夜間覺醒，且具有多次重度氣喘惡化紀錄的重度持續過敏氣喘成人，與12歲以上的青少年氣喘控制。**這些氣喘患者必須有經由皮膚測試或是體外試驗，顯示對長期空氣中過敏原呈陽性，且肺功能降低（FEV1<80%）。同時，抗IgE抗體僅適用於證實為IgE媒介型的氣喘患者**。因此，如果有患者合乎上述的臨床條件，便可以提出申請，經健保局核准後，便可以使用這類抗IgE抗體。目前使用的方式為每兩週或是每四週注射一次，經由皮下注射的方式，所以使用上也不是很麻煩。

目前已經有許多有關抗IgE抗體應用在過敏疾病的臨床研究上，而且已經在美國的藥品食物管理局和歐盟通過審查，可以應用在中度到嚴重的氣喘患者身上。此外，也有許多其他研究顯示，抗IgE抗體對孩童氣喘、季節性鼻炎、花生過敏、乳膠過敏等情形也都具有療效。同時，也可以與免疫療法合併使用，如此能夠讓減敏療法縮短時間而且增加療效。

此外，也有研究者嘗試將抗IgE抗體應用在異位性皮膚炎的治療上，但是由於異位性皮膚炎患者通常都會有較高濃度的IgE，因此使用的劑量可能也需要較高。目前有關抗IgE抗體的主要副作用是過敏反應，因為這類擬人化抗體畢竟還是多少會在患者體內引起一些免疫反應，嚴重者就會導致過敏反應，因此過敏反應還是在使用這類生物製劑時，最需要注意的副作用。

總結來說，抗IgE抗體經過二十年以上的研發和臨床試驗，終於在台灣上市。**雖然，由於藥費相對較為昂貴，因此還是需要經過事先申請才能取得給付，但是對那些嚴重型的氣喘患者仍然是個福音**。所以，對那些幾乎每天都會出現喘鳴和嚴重呼吸困難，而且使用吸入型類固醇和氣管擴張劑仍然無法改善肺功能，經常需要服用口服和注射的類固醇才能控制症狀的嚴重患者，抗IgE抗體還是一個非常好的治療藥物。

12

過敏的激發試驗

（Allergy Provocation Tests）

吳詹永嬌（基隆長庚醫院風濕過敏免疫科主任）

前言

常規過敏診斷檢查有時須使用激發試驗，如支氣管激發試驗；運動激發試驗；食物激發試驗；鼻、眼結膜、及腸胃道過敏原激發試驗等。主要使用在不易診斷的患者身上，或患者的臨床病史和客觀性檢查不相吻合時，可以輔助評估及診斷。

支氣管激發試驗

在臨床有氣喘症狀的患者，而其肺功能檢查為正常，及對氣管擴張劑無反應（常發生於輕度氣喘）者，支氣管激發試驗可以客觀的診斷氣喘。另外，當患者的症狀因不典型支氣管痙攣，而造成的主訴和氣喘不明顯相關，例如失眠或因氣喘引起非特異性症狀，如長期咳嗽，可經不同的過敏激發試驗去證實其氣管為高敏感性，而進一步診斷氣喘。支氣管的激發檢測可使用特異性的過敏原萃取物，經噴霧器成為微液珠或露狀溶液，由受試者吸入激發反應。其機轉為經由特異性的免疫球蛋白E，誘發肥大細胞反應。

另外，還有非特異性的氣管激發試驗，包括運動、吸入乾燥或冷空氣、組織胺（histamine）及乙醯丑甲基膽素（methacholine）。

過敏原的支氣管激發試驗在常規過敏診斷檢驗已很少使用，但是對研究及評估新藥療效有其價值。鼻、眼結膜及腸胃道也可以有過敏原激發試驗。

運動激發試驗

可經由6至8分鐘的充分運動（在跑步機上運動，使心跳增加達到最大預估心跳的80%至90%，持續6至8分鐘），或用力的跑6至8分鐘之後，患者在通常的室內運動到他們自己的最大自主性換氣量之預估值的40%至60%，測試其運動前及運動後5、10、15、20及30分鐘肺功能的用力呼氣一秒容積（FEV1），或吐氣尖峰流速（peak flow）。因為運動後支氣管收縮大多發生於10至15分鐘，運動完畢後須依序性測量肺功能。如有高敏感性氣管，此測試大多可激發吐氣尖峰流速及FEV1的下降。肺功能的FEV1下降10%為陽性，下降15%更具診斷性。大多數氣喘的患者在激烈運動後，會有短暫性的氣道阻力增加，運動及過度的換氣，使支氣管的黏膜因快速呼吸流失溫度及水分，而引發支氣管阻塞。**此項支氣管的高敏性試驗，和呼吸道的揮發及空氣濕度有關，環境的溼度影響此試驗結果頗大。**

組織胺（Histaminal）支氣管激發試驗

使用低至高劑量的組織胺的霧狀溶液，讓患者吸入後，測量患者吸入不同劑量時肺功能的FEV1，直到下降20%。通常建議於吸入霧狀組織胺3至5分鐘後，測量肺功能，測試劑量與下一劑量的給予須間隔約5分鐘。使用組織胺激發，直到患者的支氣管達到高敏性，其優點為組織胺為體內自然物質，而且半衰期非常短，但可能會造成不舒服的臉潮紅及頭痛。此外，也和其他激發試驗一樣，可能會造成快速的肺部阻力增加，**因此應從低劑量開始測試，並且需要醫護人員在旁監測。**

乙醯丑甲基膽素（methacholine）支氣管激發試驗

乙醯丑甲基膽素作用在於使肺部平滑肌收縮，和組織胺激發試驗一樣使用霧狀溶液，讓患者吸入低至高劑量，直到患者的FEV1下降20%，此時藥物濃度稱為PC20，乙醯丑甲基膽素PC20≦8mg/ml視為陽性。

大致上來說，支氣管激發試驗在氣喘患者身上，會有異常的組織胺及乙醯丑甲基膽素反應。大部分的研究指出，如果在測驗乙醯丑甲基膽素支氣管激發試驗時，同時又有氣喘症狀，把PC20定為小於每毫升8毫克，幾乎可以診斷就是氣喘。**組織胺測驗時有氣喘症狀的敏感度幾近100%（依據柯克勞夫特[Cockcroft]等學者的研究），乙醯丑甲基膽素測驗則約為85%（依據霍普[Hopp]等學者的研究）。而特異性也高達91%至95%。**

鼻激發試驗

鼻激發試驗（nasal challenge）可檢查對特異性和非特異性的反應。組織胺及乙醯丑甲基膽素可測試非特異性的反應，於鼻黏膜上使用特異性的過敏原，可測試特異性的反應，這些測試可評估、追蹤病程。**當患者鼻過敏病史與過敏原皮膚測試或血液檢查不相同時，鼻過敏原激發試驗臨床上可以做為評估及診斷的輔助，但是大部分的鼻過敏原激發試驗是以研究目的為主。**

眼激發試驗

眼激發試驗（ocular challenge）是以藥物檢測眼結膜非特異性的反應，或以水溶性過敏原檢測特異性的反應。陽性反應為眼睛癢、流淚、眼結膜發紅，有時也合併腫脹。症狀大多於5分鐘內出現，眼結膜變化於20至30分鐘可以辨識出來。**此試驗對過敏原的檢測與確定有幫助，但是檢查時較不舒服，也是大多以研究為主。**

食物激發試驗

食物激發試驗的目的是為了診斷患者是否會對某一種食物產生過敏反應，經由詳細而完整的過敏病史，食物過敏性皮膚試驗，和血清中食物特異性免疫球蛋白E抗體兩項檢查，找出哪些需要進一步以雙盲安慰劑控制的食物激發試驗，來鑑定其真正過敏的食物。

此試驗大多使用乾燥後的食物過敏原，置入不透明膠囊，隨機給予同等次數的欲檢測過敏食物與安慰劑控制的食物，如果患者可以耐受顯著份量的乾燥後食物過敏原，接著直接給予此食物試驗，如無不良反應，即可排除對此食物過敏。雙盲安慰劑控制的食物激發試驗，在異位性皮膚炎孩童身上，約有0.5%至1.0%的假陽性和2%至5%的假陰性。**雙盲安慰劑控制的食物激發試驗為目前最標準的食物過敏診斷方式，需要在醫護人員的監測下進行。**

結語

過敏的激發試驗涵蓋了特異性過敏原及非特異性試驗，較常在門診檢查的為支氣管激發試驗、運動激發試驗、食物激發試驗。對於診斷過敏原及氣喘，尤其在不易診斷之患者身上，或患者的臨床病史和客觀性檢查不相吻合時，有顯著的幫助。雙盲安慰劑控制的食物激發試驗，可以進一步確認食物過敏原，也可監測追蹤患者食物過敏的狀況。

Part 2

【過敏的診斷用藥篇】

13 兒童氣喘

葉國偉（林口長庚醫院兒童過敏氣喘中心主任）

我的小孩有氣喘嗎？

許多家長因為小孩咳嗽咳不停甚至長達數月，而帶到門診就醫。當然在這個過程中，雖然已經吃了不少咳嗽糖漿或感冒藥水，但咳嗽症狀仍未見改善。這時醫生往往會說明：「你的小孩氣管比較弱。」「你的小孩體質較敏感。」所以才會咳得那麼久，家長可能似懂非懂的接受這樣的解釋。其實「氣管比較弱」是個平易近人的說法，卻不是一個科學的解釋。「氣管敏感」只是代表一種狀態，也非疾病的診斷。但是如果醫生說：「你的小孩是氣喘。」家長往往不能接受這樣直接的陳述。一方面，因為小朋友從沒有喘過啊！怎麼可能是氣喘呢？認為只是感冒不容易好罷了；另一方面，傳統觀念告訴我們，氣喘是不能根治的，萬一得到了，便需要終身依賴藥物治療，潛意識中便因無法接受而否認小孩是「氣喘」，卻也因為如此而無法得到適當的治療，反而讓小孩吃更多、更久的藥。

氣喘不一定要喘

一般對氣喘的刻板印象，就是突然覺得呼吸困難，趕快從口袋中拿出吸藥，一吸就好了。只是這往往是電視、電影上較誇張的表演手法。當然，真的氣喘急性發作時，使用擴張劑是可很快改善症狀，但在現實生活中，氣喘症狀不全然是如此表現。

「氣喘」是一種呼吸道慢性發炎的疾病。臨床上常表現為反覆的咳嗽，嚴重時會感到胸悶、呼吸困難，甚至有吸不到空氣的感覺。但「氣喘」並不需要臨床上出現「喘」的症狀，或聽到「喘鳴」的呼吸聲才能稱之。最常見的臨床表現反而是慢性咳嗽。換言之，便是家長描述的「怎麼咳嗽都不會好？」「看了好多醫生，吃了好多感冒藥，怎麼還會咳嗽？」或「白天都還好，睡前或一大早起床前便咳嗽。」事實上，**只要反覆咳嗽三個星期以上未見改善，且早晚咳嗽較明顯，活動後會較明顯咳嗽，便要考慮氣喘的可能**。

因氣管慢性發炎而使分泌物增加，這時咳嗽也會有痰的聲音。所以咳嗽有痰並非感冒或肺炎才特有的表現，氣喘引起的咳嗽也會有痰音。一旦確診是氣喘，即使是在完全無症狀之時，也不能說小孩沒有「氣喘」，氣喘這個疾病還是存在的，只是被控制了，還是要繼續保養氣管，才不會又咳嗽不停。

氣喘的診斷

診斷氣喘其實並不容易，因為目前並沒有單一或準確的檢查來確診氣喘，對於年紀小的兒童更是不容易診斷。**醫師要診斷病人是否有氣喘，主要是依詳細的病史，也就是症狀的表現及變化，有無合併其他過敏的疾病，並參考家族過敏史等來下診斷**。過敏原檢測、胸部X光或肺功能等檢查，只是用來輔助診斷或排除其他疾病，並不是確診氣喘的絕對必要檢查。

避免誘發氣喘的因素

有許多因素會誘發氣喘的症狀：包括過敏原及一些非過敏原的刺激物，大部分的誘發因素都是可預防的。氣喘平時是不會有任何症狀的，但並不代表小朋友的氣喘已經痊癒了，一旦接觸到過敏原，便可能會誘發氣喘的發作，所以**除了藥物的保養控制外，避免接觸過敏原及刺激物也是治療氣喘的重要一環**。例如小朋友睡覺前打枕頭仗，有過敏體質的小朋友，可能便會因此而噴嚏連連，甚至咳嗽，因為寢具中的塵蟎會因此而飛揚，吸入氣管中，便可能會誘發氣喘。

在台灣的環境中，最常聽到與檢測到的便是**塵蟎過敏**。因此生活上盡量減少塵蟎的存在，便是減少氣喘被誘發的機會。塵蟎喜歡生長在潮濕的環境中，若將室內濕度控制在相對濕度50%至60%之間，便可降低塵蟎存活的機會。其實濕度的變化本身便可能會改變呼吸道的敏感度而誘發氣喘，所以**除濕**是最重要的基本工作。至於空氣清淨機，雖然被強調具多功能，如殺菌、除蟎、除臭等效用，然而塵蟎平時只會待在地板上或床墊內，並不會在空氣中飛揚，此時空氣清淨機並不能發揮其除蟎功能，除非家中大掃除時塵蟎飛揚才能發揮功能，不過對於過濾二手菸或空氣中的異味或許有幫助。

有些衛教資訊要家長用55℃至60℃的熱水浸泡洗滌床單等易藏有塵蟎的物品，然而日常生活中要燒開水控制溫度來洗衣服並不容易。替代的方式是**將衣物床單曝曬在太陽下**，來達到除蟎的目的。當然在都市公寓大樓中，要能有空間曬衣服也不是很方便，**利用烘乾機至少烘乾20分鐘**，也是一種除蟎的替代方式。

●平日的保養藥物對於預防氣喘的發作很重要。

在兒童，引起氣喘發作的最常見因素並非塵蟎，反而是病毒感染，也就是一般所說的**感冒**。兒童氣喘大約八成是因為感冒而誘發，小朋友在學校或幼稚園的團體生活中，鮮少有不被傳染感冒的，對於已有氣喘的兒童，萬一咳嗽、發燒了，家長不需要絕對分清楚這次是感冒的咳嗽，還是氣喘的咳嗽，反而要注意會不會因感冒而誘發氣喘。**要預防發作最重要的是平日的保養藥物**。

當家長認真面對氣喘時，很自然的會想到什麼不能吃，或要吃什麼才能改善體質。當然也不希望因為過敏而營養失衡。雖然小朋友在接受治療之前可能就時常看病吃藥，但這並不代表小朋友的體質差，只是未接受適當且正確的治療而已，所以飲食上並無特別限制，也不需要購買昂貴的保健食品。以前流行的蜂膠，目前流行的益生菌，都沒有科學證據顯示對氣喘有治療或預防的效果。西方醫學講究的是證據醫學，而有效與否，需要科學證據來佐證，決不能隨便用「顧氣管」或提升免疫力等廣告用語，來誇大功效。

氣喘並不可怕，可怕的是錯誤的觀念，以至於延誤或斷斷續續的治療，根據健保局的統計資料顯示，17歲以下的氣喘的族群便占了38%，而醫療的花費更高達20億元以上。站在家長的立場，可能花再多錢也在所不惜，只要小孩不再常咳嗽吃藥。這樣的結果是可以達到的，但必須與專科醫師密切配合，遵從醫囑，氣喘絕對可以控制的很好。

14

氣喘的藥物治療

陳力振（林口長庚醫院兒童醫學中心兒童過敏氣喘風濕科主任）

前言

氣喘是一種反覆引起呼吸道過度敏感及發炎的慢性疾病，當急性發作時，會有喘鳴、呼吸困難、胸悶以及咳嗽等臨床症狀。氣喘的發生原因除了先天過敏體質的影響外，尚包含各種內外刺激因子的共同作用。因此要有效控制氣喘應包含：

- 規則性追蹤病患臨床症狀及肺功能變化
- 經由良好醫病關係的建立，推廣正確的衛教知識
- 控制周遭各種氣喘病誘發因子及防治可能導致使氣喘病惡化的危險因子
- 藥物的治療

在此主要介紹氣喘藥物的治療，而認識治療氣喘的藥物前，應先了解**氣喘的致病機轉**：在受到誘發因子刺激之後，細支氣管周圍會有許多發炎細胞浸潤，這些發炎細胞會釋放出多種發炎物質，導致支氣管平滑肌收縮、氣管內壁黏膜腫脹、分泌物增加，使得呼吸道內徑縮小，而造成氣喘臨床症狀的產生。根據上述氣喘病理機轉，用於治療氣喘的藥物應具備舒緩氣管的收縮及清除氣管內發炎反應的特性。一

般常依使用時機的不同而將治療氣喘的藥物分為：**急性發作的緩解藥物**（quick reliever）及**長期使用的控制藥物**（long-term controller）兩大類。

急性發作的緩解藥物（治療藥物）

此類藥物作用快、效果佳，在氣喘急性發作時，可以迅速緩解支氣管收縮及呼吸困難、咳嗽和喘鳴等症狀。下列為較常使用的一些藥物：

■短效乙二型交感神經興奮劑（Short-Acting Beta 2-Agonists）

主要的作用在於刺激氣管上的交感神經接受器，而使氣管擴張。一般分為「吸入」及「口服」兩種劑型。**吸入性的藥物在吸入體內幾分鐘後，即可緩解氣喘症狀，效果優於口服製劑，因此常被用於氣喘急性發作的首選藥物**。然而此類藥物在人體會有耐受性產生，而有藥效減弱的感覺，並不建議長期使用。如需要增加使用頻率或劑量，應提高警覺是否可能是氣喘控制不佳的警訊，此時應與您的專科醫師商量，重新調整氣喘治療計畫。此類藥物常見的副作用為心跳加快、手抖、精神亢奮、多汗等，不過這些副作用皆是暫時性的，一旦藥物停止後，副作用也會隨之消失。

■吸入性抗乙醯膽鹼藥品（Anti-Cholinergic Agents）

藉由副交感神經的阻斷作用，使支氣管肌肉鬆弛，治療效果較慢，**臨床上很少單獨使用，而常合併短效乙二型交感神經興奮劑使用**，以促使產生更好的支氣管擴張效果。主要的副作用有口乾舌燥及嗜睡等。

■茶鹼（Theophylline; Aminophylline）

經由抑制細胞內代謝途徑，進而產生支氣管擴張的作用，效果較前兩者慢，有「口服」及「針劑」兩種劑型。**一般用來加強乙二型交感神經興奮劑的作用**，但茶鹼在人體血清中的治療濃度與中毒濃度相近，易產生副作用（噁心、嘔吐、心律不整、抽筋），另外，使用時應避免與紅黴素，或抗癲癇藥物等藥物合併使用，因為會增加此類藥物在血中的濃度，而更容易引起副作用。

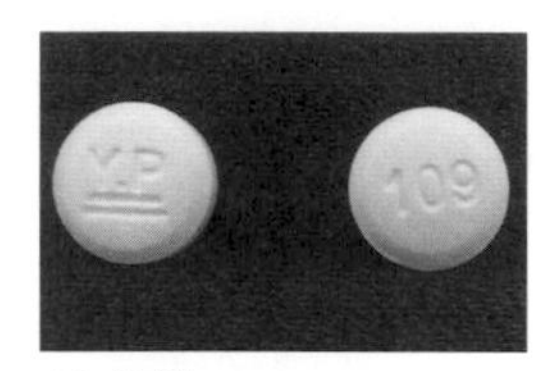

●茶鹼 Aminophylline 100mg tab

■類固醇（Corticosteroids）

這類藥物可抑制氣管發炎的持續進行，雖然服藥後4至6小時才會開始發揮作用，但仍是**治療氣喘急性發作的重要藥物**。然而只要提到類固醇，莫不令人聞之色變，擔心其副作用的產生，所以患者接受度並不高，因此降低了氣喘治療與預防的效果。在此須釐清，長期口服類固醇的確會有月亮臉、水牛肩、多毛、影響生長、抑制免疫力等副作用，然而只有極少數所謂類固醇依賴型的氣喘病人，可能需要長期服用低劑量口服類固醇，對於絕大多數的氣喘病人來說，並不用長期口服此藥，一般只有在氣喘急性發作時，需要使用3至5天口服或針劑注射的類固醇，以便有效控制急性氣喘症狀。

長期使用的控制藥物（保養藥物）

氣喘為慢性發炎疾病，需要以抗發炎藥物為主的藥物長期控制，以達到穩定氣喘的效果，和預防氣喘持續惡化。對於此類藥物的種類或劑量調整，常採取所謂的**階梯式治療方式**，也就是依據氣喘治療準則，將氣喘依嚴重度分為四階段，第一階段至第四階段依序為「間歇發作性氣喘」、「輕度持續性氣喘」、「中度持續性氣喘」，以及「重度持續性氣喘」，當病人在某個階段氣喘控制不好時，就會升階進入上一階；反之，若氣喘得到控制，就可以降階到下一階，並逐漸減少藥物的種類或劑量。常見的藥物種類如下所述：

■吸入性類固醇（Inhaler Corticosteroid）

由於經由氣管內皮細胞局部吸收，只需低劑量即可逐漸達到療效，而且不用擔憂長期口服類固醇所帶來的全身性副作用，雖然偶爾口腔、咽喉易有黴菌感染（鵝口瘡），然而如果每次使用後能夠漱口，即可避免這些副作用的產生。一般吸入性藥劑種類分為「定量噴霧」和「乾粉狀」兩種劑型，在六歲以下的小孩，建議使用定量噴霧劑型，並配合吸藥輔助艙的使用。

●噴霧吸入型類固醇
Duasma

吸入性類固醇是目前公認長期控制氣喘效果最好的藥物，近來發現它可能會影響小孩身高，而引起更大的注意，然而影響兒童身高並非單一因素，再者，研究方式的設計及短期的研究，並不能完全解釋及預測長期的結果。依據目前最新的結論認為：在安全劑量下長期使用並不會影響身高，因此在沒有替代性的藥物出現前，仍建議使用。

■吸入性色甘酸鈉（Inhaler Cromolyne Sodium）

這是體內肥大細胞（過敏細胞）的穩定劑，主要作用在於抑制發炎物質的釋放，但效果較吸入性類固醇差，所以目前較少用，**只有少數一些不適合或無法接受類固醇治療的病患仍會使用**。

■長效乙二型交感神經興奮劑（Long-Acting Beta 2-Agonists）

與短效乙二型交感神經興奮劑比較，此類藥物有較長的支氣管擴張效果（作用時間超過8至12小時），**睡前使用可減少氣喘夜間發作的**

症狀，且較不易產生耐藥性。一樣有「吸入」及「口服」兩種劑型。在最新的治療準則中，長效型的吸入性支氣管擴張劑，可用於中重度持續性的氣喘，但不建議單獨使用，而需要與吸入性類固醇合併使用，這種合併式療法不僅可達到氣管舒張與抗發炎的加成治療效果，進而可減少類固醇的使用劑量。

●乾粉狀吸入型類固醇加長效乙二型交感神經興奮劑
Symbicort Tuberhaler
160/4.5mcg/dose

■白三烯素調節劑（Leukotriene Modifier）

白三烯素是引發氣喘症狀的重要媒介質，它會促使氣管平滑肌收縮、微血管的通透性增加，藉由白三烯素調節劑來削弱白三烯對氣管黏膜的作用，可減少發炎反應，並減輕氣喘症狀。雖然其抗發炎的效果比類固醇差，然而**口服使用方便自然，長期的臨床試驗並未發現明顯副作用**。目前在台灣已上市的有zafirlukast（藥品名稱為雅樂得[Accolate]）及montelukast（藥品名稱為欣流[Singulair]）。在新的治療準則中，也將其納入輕微持續性氣喘的慢性控制用藥之一，同時並不建議單獨用於中重度的氣喘。

最新氣喘治療藥物

■抗IgE單株抗體（Anti-IgE Monoclonal Antibody）

過敏性氣喘病患體內的IgE抗體數量常會升高，這些IgE抗體會與肥大細胞結合，當特異性的過敏原進入體內時，可能會導致肥大細胞釋放發炎介質，而引起氣管發炎。抗IgE抗體療法即是針對過多的IgE抗體做為治療標的，利用人工合成的抗IgE單株抗體，以注射方式打入皮下，將體內游離的IgE抗體拮抗住，減少IgE抗體和肥大細胞結合產生的過敏發炎反應。抗IgE抗體療法在2003年3月已獲得美國FDA（食品藥物管理局）核准通過，**建議使用於12歲以上，對傳統氣喘治療方式無效的中至重度持續性過敏性氣喘病患**。值得一提的是，目前全球唯一上市的omalizumab，是由台灣的中央研究院張子文教授研發出來的。現在國內有些醫學中心已開始使用抗IgE抗體療法，只是治療經驗仍不多。

正在研發階段的氣喘治療藥物

■介白質-4、介白質-5的拮抗劑（IL-4 or IL-5 Antagonists）

在過敏反應中，無論是發炎細胞的聚集或IgE抗體的產生，皆受到一些細胞激素的調控，**其中IL-4具有刺激B淋巴球產生IgE抗體的作用，而IL-5會促進骨髓製造嗜伊紅性白血球，並使它活化產生發炎反應**，目前已研發出阻斷IL-4、IL-5的單株抗體，用於抑制過敏氣喘的反應。雖然新的治療方式帶來希望，但是都還在理論或實驗室階段，實際用之於人體仍需要一段長的時間來反覆驗證。

結語

上面所述乃是目前過敏氣喘治療及發展中的藥物，雖然治療方式不斷推陳出新，療效愈來愈好，副作用愈來愈少。但是清楚了解疾病可能的致病原因，盡量避開導致氣喘發作的誘因，一方面可減少疾病的發作頻率，一方面更可減低醫療成本，如此方為治療氣喘的最根本之道。

15

食物過敏

陳怡行（台中榮民總醫院過敏免疫風濕科主治醫師）

什麼是食物過敏？

食物過敏是身體的免疫系統誤以為我們吃進去的食物是「有害的敵人」，而啓動一連串不必要的免疫反應，反而造成身體組織器官因過度免疫反應而發炎的過敏疾病。

典型的食物過敏，是因為身體免疫系統對某些食物產生一種過敏的壞抗體，叫做**食物專一性免疫球蛋白E**，例如：對蝦過敏的人，血液中會有蝦專一性免疫球蛋白E；對花生過敏的人，血液中會有花生專一性免疫球蛋白E。當過敏患者不小心吃到會過敏的食物時，這些食物專一性免疫球蛋白E會和食物中的過敏原蛋白結合在一起，接著啓動一連串的免疫發炎反應。

●典型食物過敏，是因爲身體免疫系統對某些食物產生一種過敏的壞抗體。

食物專一性免疫球蛋白E可能在吃了某種食物一段時間之後才逐漸產生出來，這種過程稱為「**致敏**」，所以有些患者發現自己過去吃某種食物雖然都沒有太大的問題，但卻在某次吃了以後才開始有過敏症狀。

食物過敏會有什麼症狀？

除了異位性皮膚炎及少數腸胃道症狀以外，大部份食物過敏的症狀是在吃到過敏食物的數分鐘到數小時內產生。其症狀主要有下列幾種：

■急性蕁麻疹

食物過敏最常見的症狀就是急性蕁麻疹，患者常在吃到過敏食物的數分鐘到數小時內長出紅色且劇癢的膨疹。這些膨疹常一大群、一大群地一起發生，有時還會合併嘴唇腫起、眼睛腫起等血管性水腫的現象。有些比較嚴重的人還會合併胃腸道、呼吸道等全身症狀。

■腸胃道症狀

從輕微的口腔喉嚨發癢、發腫，嘴巴周圍起紅疹，到嘔吐、腹部絞痛、腹瀉都有可能。

■呼吸道症狀

在吃了過敏食物後，因有呼吸道黏膜腫起或攣縮，而出現咳嗽、喘鳴、呼吸困難等氣喘發作症狀。這種狀況在嬰幼兒及兒童身上特別常見。

■全身性過敏反應與過敏性休克

有極少數的食物過敏患者會對某些食物產生嚴重的全身性過敏反應，在吃下過敏食物後，同時產生兩個以上器官的過敏反應（如急性蕁麻疹加上呼吸道症狀），甚至發生過敏性休克，出現意識改變、血壓下降等休克症狀。這是非常嚴重的過敏反應，如果沒有及時完善處理，甚至可能危及性命。在美國，對花生過敏是引起此類全身性過敏反應的第一號元兇。根據統計，美國共有一百多萬人對花生過敏，且一年約有四百多人因嚴重的花生過敏而死亡。而在台灣，對花生過敏者在過去並不多見，但近年來因國人飲食習慣逐漸西化，在筆者的過敏氣喘特別門診中，對花生或堅果類嚴重過敏的病例，似乎有逐年增加的趨勢。

■異位性皮膚炎

有異位性皮膚炎的患者，皮膚的癢疹也可能被一些食物過敏原誘發出來，導致原有的濕疹更加惡化。這種食物過敏症狀出現得比較慢，常在吃到過敏食物後幾天到一週內才出現症狀，有時比較不容易察覺。

●「乳醣耐受不良」和「對牛奶過敏」是不一樣的

吃了某些食物會不舒服，就是食物過敏嗎？

當然不是。有些食物吃了以後的不適反應，並不是因為免疫系統不當反應所引起的，這時候並不是真的對食物過敏，過敏科醫師把這些非過敏反應所引起的食物不良反應稱為「食物耐受不良」。例如台灣人有很多腸胃道中消化乳醣的乳醣酶先天不足，導致在喝完牛奶後會出現腹脹、腹瀉等症狀，但這並不是真的對牛奶過敏，而是「乳醣耐受不良」。患者往往只要份量不要超過，還是可以吃一些乳製品，這和真正對牛奶過敏的患者必須完全禁食乳製品的食物，是完全不一樣的狀況。**過敏免疫科醫師可以透過問診及抽血檢查或過敏原皮膚試驗，幫患者區分症狀到底是真的對「食物過敏」，還是「食物耐受不良」**。

什麼是食物過敏原？

食物過敏原是指食物當中會引起過敏反應的成分，食物過敏原通常是蛋白質或醣蛋白，會與患者的食物專一性免疫球蛋白E結合，而引起一連串過敏反應。有些食物過敏原不耐熱，只有在生吃時才會引起過敏反應，所以煮熟了就不會過敏了，例如：蘋果、奇異果等蔬果類過敏原。也有一些過敏原很耐熱，烹煮之後還是會引起過敏反應，如：蝦、蟹、花生、堅果類就屬於此類。台灣最常見的食物過敏原根據2007年食品衛生處的調查，第一名是蝦、蟹等有殼海鮮，第二名是芒果，第三名是蛋類，第四名是花生。

醫師如何診斷食物過敏？

過敏免疫風濕科醫師會根據症狀及病史，選擇適當的過敏原皮膚試驗，或抽血檢驗食物專一性免疫球蛋白E，來確立診斷。

如果一時無法釐清食物與過敏症狀的因果關係時，醫師也可能會請患者將所有吃的食物及症狀做一個「飲食日記」，記錄一段時間後，再來找出可能導致過敏的疑兇。

食物過敏如何治療？

食物過敏最好的治療方法，就是正確**找出真正的食物過敏原後，避免再吃到含有這些食物過敏原成分的食物**。

比較需要注意的是，像是對牛奶、花生、雞蛋等過敏原，常會被添加在餅乾、蛋糕、麵包等西點食物中，所以過敏患者在購買這些加工食品時，一定要記得詳細閱讀食品成分標示，以免吃到這些「隱藏性」的食物過敏原，而引起過敏反應。

如果患者對食物過敏的症狀是全身性過敏反應的話，因為這種過敏反應可能會危及生命，所以除了必須嚴格避免吃進會導致過敏的食物以外，最好隨身攜帶**腎上腺素注射筆**，這樣一來，患者除了可在發生全身性過敏反應初期，盡快自行注射以爭取求救時間外，患者的家人或好友最好也要知道如何使用腎上腺素注射筆，以備遇到緊急狀況時能盡速幫忙急救，爭取救命的黃金時間。

16

塵蟎及食物以外的過敏原

徐世達（台灣兒童過敏氣喘及免疫學會理事長）

前言

近年來，醫學界已經了解遺傳性過敏病基本上是一種與多重基因遺傳有關的慢性過敏性發炎反應。此炎症反應會因為受到各種誘發因素的激發，造成臨床上的過敏發作，**而其發作的部位則與其所遺傳到的個別器官異常有密切的關係**。當此炎症反應發生於支氣管時，稱之為「氣喘病」；發生於鼻腔、眼結膜時，稱之為「過敏性鼻炎」、「過敏性結膜炎」；發生於胃腸道時，稱之為「過敏性胃腸炎」；而當其發生於皮膚時，我們就稱之為「異位性皮膚炎」。

誘發過敏性體質發作的因素

通常可將誘發過敏性體質發作的因素分為兩大類，**第一類因素**為呼吸道病毒感染、過敏原（尤其是居家環境中的塵蟎、蟑螂、黴菌與貓狗等有毛寵物），和化學刺激物（尤其是香菸所含的尼古丁），可直接誘發過敏性體質發作；**第二類因素**如持續劇烈運動、食用冰冷食品、天氣濕度溫度的激烈變化（例如季節進入乾冷的秋天或是午後雷陣雨）、進出冷氣房室內外溫差大於攝氏7℃，和精神情緒的不穩定

（如玩得太興奮或是挨罵心情很鬱悶）等，通常這類因素只會對早已存在過敏性發炎，且已高過敏度的標的器官，如支氣管等，造成暫時性的收縮反應。只要病人的慢性過敏性發炎反應經過過敏免疫學專科醫師的適當處置，獲得改善後，即可不再受其影響。

在台灣，引起兒童過敏病常見的吸入性過敏原有塵蟎、蟑螂、狗皮屑、貓皮屑和黴菌，而花粉過敏則較常見於歐美各國。在台灣，常見的食物性過敏原包括蝦子、螃蟹、蚌殼海鮮、鱈魚、蛋白，和牛奶等。根據台北馬偕紀念醫院針對3,687位氣喘病童所進行的台灣地區八種常見過敏原（屋塵蟎、粉塵蟎、狗皮屑、貓皮屑、德國蟑螂、蛋白、牛奶，和鱈魚）的特異性IgE抗體研究顯示，在台灣地區，氣喘病兒對兩種塵蟎過敏特異性IgE抗體陽性率，隨病童年齡的增加而增加，由2歲病童的DP 35.80%，DF 32.84%；3歲病童的DP 44.72%，DF 42.41%；6歲病童的DP 63.02%，DF 58.60%；增加到12歲以上病童的DP 81.36%，DF 79.66%。對狗和貓過敏特異性IgE抗體陽性率，也是隨病童年齡的增加而增加，由2歲病童的3% vs 2.75%；3歲病童的9.73% vs 2.85%，6歲病童的20.15% vs 4.42%，很快增加到8歲病童的33.68% vs 9.55%，以及14歲以上病童的34.88% vs 11.84%。對德國蟑螂過敏特異性IgE抗體陽性率，也是隨著病童年齡的增加而增加，由2歲病童的2.37%；3歲病童的6.11%，6歲病童的13.72%，很快增加到8歲病童的24%，以及14歲以上病童的31.82%。另根據台北馬偕紀念醫院小兒過敏免疫科，針對已確定為塵蟎過敏的氣喘病童的過去研究顯示，有58.7%（44/75）塵蟎過敏氣喘病童，至少對一種美國或德國蟑螂過敏原皮膚測驗呈陽性反應；且有34.6%（26/75）同時對美國及德國兩種蟑螂過敏原皮膚測驗呈陽性反應。而個別的蟑螂過敏原皮膚測驗呈陽性反應結果分別為：美國蟑螂41.3%（31/75）；德國蟑螂52.0%（39/75）。

絕大多數對貓狗呈現特異性IgE抗體陽性反應的病童，皆同時對塵蟎特異性IgE抗體呈現陽性反應（97.57%, 643/659）。對貓狗呈現特異性IgE抗體陽性反應的病童，約有41.88%對德國蟑螂特異性IgE抗體呈現陽性反應。對德國蟑螂呈現特異性IgE抗體陽性反應的病童，約有62.3%對貓狗特異性IgE抗體呈現陽性反應。對德國蟑螂呈現特異性IgE抗體陽性反應的病童，約有97.74%（433/443）對塵蟎特異性IgE抗體呈現陽性反應。另根據台北馬偕紀念醫院小兒過敏免疫科，針對266位到本科就診的過敏氣喘病童的過去研究顯示，家中有人吸菸的過敏氣喘病童，對貓狗產生特異性IgE抗體陽性反應的機率，有比家中沒有吸菸者大的趨勢。

在這些吸入型過敏原中，以家塵中的塵蟎為最重要。根據我們的經驗，誘發小兒過敏氣喘體質發作的最重要過敏原以塵蟎最多，約占90%以上。食入型過敏原和異位性皮膚炎及蕁痲疹等皮膚過敏症，有較高的關聯性。

避開或掌控氣喘誘因

發現並掌控氣喘誘因，也就是導致氣喘急性發作的危險因子，在氣喘處置上是很重要的步驟，避開或掌控誘因能夠預防氣喘急性發作，減輕症狀及減少藥物的需求，就是非藥物的次級預防措施。避開誘因，例如塵蟎、蟑螂、黴菌、貓狗有毛寵物，可以降低呼吸道炎性反應及過度反應。所以降低室內外過敏原必須劍及履及去實施，如此才能夠預防過敏氣喘急性發作，並降低藥物治療之需要。

本文將就塵蟎及食物以外的台灣常見吸入型過敏原與花粉過敏原進行討論。

蟑螂過敏原

蟑螂是群居的昆蟲。**出來走動的以雄蟑螂居多**（常出沒於不衛生的地區），負責繁衍後代的母蟑螂及小蟑螂通常不會出來覓食。蟑螂是夜行性昆蟲，喜歡躲在溫暖潮濕的地方，例如廚房、餐廳、浴室、儲藏室、櫥櫃、抽屜、牆壁家具的縫隙、垃圾堆等；白天躲在排水溝或牆壁、櫥櫃、抽屜、家具的空隙裂縫中，待夜深人靜時才由排水孔、電線管等爬進廚房、浴室的地板排水孔或流理台、洗手台、浴缸等，沒有存水彎管的排水孔侵入，爬入家中。

俗稱的「小蟑螂」亦即德國蟑螂（體呈黃棕色，長約1.2至1.6公分）及美洲蟑螂（大蟑螂，體呈紅棕色，長約3至4.5公分），是住家中最常見的蟑螂。

吸入蟑螂的屍體、排泄物及接觸蟑螂的分泌物，是造成氣喘過敏的主要原因，但要完全根絕蟑螂過敏原非常困難，尤其台灣地區氣候溫暖潮濕，再加上都市地區由於外在環境污染嚴重、居住環境封閉、家中擺設複雜，都提供蟑螂最適合生存的環境。

蟑螂過敏原預防方法

- **整頓環境衛生**：蟑螂的防治首重環境衛生，落實家中清潔，廚房、家具、牆壁應經常擦拭洗滌，以減少蟑螂生存繁殖的條件。
- **不讓蟑螂來**：

1.晚上就寢前，應將廚房、水槽、浴室、盥洗盆的排水孔加以密蓋，防止蟑螂沿排水管逆行而上，排水管線應設置存水彎管以儲水，讓蟑螂無法涉水而過。

2.最簡單的方式便是在管道口加裝洞孔較德國蟑螂體型小的濾網，但要注意定期修護。

3.修補自室外進入室內的破損管線，並在管道口加裝濾網。

4.牆壁細縫、空隙、室內地板，可使用矽膠填補縫隙。

5.減少使用夾板與天花板，不留蟑螂藏匿空間，不堆積雜物。

- **不讓蟑螂吃：**所有的食物應妥為儲藏，不讓蟑螂有竊食的機會，清理垃圾、廚餘，須密封包起來。
- **適當的使用滅蟑餌劑：**滅蟑噴劑的刺激氣體以及煙霧式藥劑，容易造成過敏兒的不適，建議可採用滅蟑餌劑，滅蟑餌劑放置在蟑螂容易出沒的管線、轉角，與隙縫附近。硼砂、麵粉、糖粉與玉米粉混合成毒餌誘殺，具防治效果。盡量避免使用滅蟑噴劑或是煙霧式滅蟑藥劑，以免刺激性氣體造成過敏兒的不適，甚至過敏氣喘症狀的惡化，如必須使用，最好選擇氣喘病兒不在家時。

貓狗過敏原

根據台大獸醫系以往的調查顯示，台灣地區的養狗人數曾經高達3,282,320人，而養貓的人數也高達288,556人，在台北市，平均70%以上的飼主都將寵物養在室內。很多人不知道，寵物的飼料及糞便是蟑螂的最愛，而蟑螂更是台灣地區相當常見的過敏原之一，所以寵物可能引發的過敏

原，以及環境衛生問題都值得注意。對塵蟎而言，狗貓的皮屑可以是其食物，所以移除寵物過敏原，對於塵蟎過敏的人也有幫助。

這些動物過敏原的來源是其皮脂腺、唾液腺、皮膚基底鱗狀上皮細胞、其肛門的腺體。對於貓過敏原而言，貓的臉部是最大來源，有些研究顯示，將原本所養的貓移除後，一直到數個月之後，在地毯及彈簧墊上仍能檢測出高濃度的抗原。有些沒有養貓或狗的環境，卻會有貓或狗過敏原的出現，是因為曾有過養貓或狗的人在此進出過，所以，**勤洗衣物也是預防此種過敏原散布的方法**。

■貓狗過敏原預防方法

- 不要飼養貓狗寵物，且在移除貓狗後，必須用吸塵器及清洗方式整理所有表面，特別是牆面，常有大量的貓抗原，其他如窗簾、家具罩子等也應該常清洗。
- 若是病人堅持在家養狗或貓，則降低狗貓過敏原的方法如下：

1. 應該將室內所有的地毯移除，而換上耐隆（linoneum）或木質的地板。
2. 應使用HEPA（High Efficiency Particulate Air Filter，即高效率微粒空氣濾淨器）來清除貓或狗的過敏原，而其濾網應常更換。
3. 對於寢具的處置方法與塵蟎的環境控制方法相同。
4. 寵物一週得清洗兩次，寵物襯墊也得一併清洗。
5. 盡可能將寵物養在室外，寵物不應該進入客廳及臥室。
6. 室內環境應該保持自然通風。
7. 衣物應常清洗，可能接觸寵物的衣物盡量不穿出室外，以免散布過敏原。

黴菌過敏原

黴菌是一種微小的真菌，不像植物可以從陽光和空氣自行製造食物。黴菌是由成群的菌絲組成，寄生在植物或動物身上，並分解它們的養分。黴菌是分布最廣的生物，有數萬種不同的種類。許多黴菌藉由釋放孢子進入空氣中，沉降停留在有機物上，並生長成新的黴菌群來繁殖。這些空氣傳播的黴菌孢子比花粉多很多，被吸入後可能會產生過敏症狀。黴菌感染造成的臨床過敏疾病與其他過敏原（包括塵蟎、蟑螂、貓狗等有毛寵物、花粉等）所造成的遺傳性過敏病的症狀，在臨床上是無法區分的。

黴菌會在許多環境中出現，並且不像是花粉只會在特定的季節出現。在溫暖和潮濕的環境中，會促使它快速生長，所以它們在一年之中潮濕的季節會非常盛行。在戶外或家中環境都會發現黴菌的存在，有些種類的黴菌會在家中，尤其是在很潮濕的地方，例如浴室和地下室等處繁殖。

黴菌過敏原預防方法

- 家中濕度須保持在35%至50%。
- 具HEPA濾網的空氣清淨機可以過濾空氣中的過敏原，並且有助於去除黴菌的孢子。
- 空調不只能降低濕度並可濾去大的黴菌菌孢，有效地降低室內黴菌的量。但要注意除濕機或空調不要被它們污染，否則反而會成為新的過敏來源或刺激物來源。若有黴菌，要用稀釋的漂白水來清洗或擦拭機器內部。
- 要保持室內通風。煮菜時或沐浴後須使用排氣的風扇或是打開窗戶，來移除濕氣。

- 經常打掃居家環境，包括牆壁及天花板，須經常擦乾窗戶上的凝結水氣。
- 居家油漆時，粉刷漆料中要加入防黴的成分。
- 家中室內植物的數目不要太多。
- 最好能將地毯移除，並將寢具套上防蟎套。避免使用發泡塑膠或海綿之類的枕頭及寢具，因為它們特別容易發霉。
- 黴菌可以在冰箱中生長，尤其是門沿的密封墊。可以自動除霜的冰箱下的水槽，要經常清空。
- 盡速移除長黴菌變質的食物。
- 在熱帶或亞熱帶地區，黴菌會因潮濕或滲水而長在屋子牆上，所以牆壁必須鋪磁磚或清洗。而且須把漏水或滲水的問題處理好。

花粉過敏原

季節性過敏性鼻炎，即「花粉熱」，影響美國超過三千五百萬人口，在台灣則只有少數過敏病人會受到花粉過敏影響。

花粉是開花植物的雄性生殖細胞，外觀微小呈卵圓形，是植物受精所必需。花粉微粒比人髮的平均寬度更小。花色明亮的植物譬如玫瑰，以及較大的花粉，依靠蜜蜂或其他昆蟲傳播到其他植株，通常不會引發過敏。**但是許多樹花、草花和低矮的雜草，花粉較小較輕，由風力傳播，這些是會引發過敏症狀的花粉**。

在美國，季節性過敏性鼻炎在初春由樹花引發，如橡

木、西部紅色雪松、榆木、樺樹、山胡桃、白楊樹、美國梧桐、槭樹、柏樹和核桃樹。在晚春和初夏，草花包括梯牧草、百慕達草、果樹林、甜春天、紅頂（金盞花的一種）和一些藍色草經常引發症狀。

在北美的仲夏和秋天，除了豬草花粉之外，其他草花也能引發花粉熱過敏性鼻炎症狀。這些草花包括蒿屬植物、莧草、風滾草、俄國薊和鳥蛤草。

天氣可能會影響花粉熱症狀。花粉熱過敏症狀在多雨、多雲或少風的氣候較少出現，因為花粉在這些氣候下較少。炎熱、乾燥和起風的天氣，會帶來大量的花粉，因而增加過敏的症狀。

■預防花粉過敏原的方法

遵循以下方法，可以在花粉季節減輕暴露量，避免誘發過敏症狀。

- 移居到花粉較低的區域居住。
- 在高花粉的季節中，病人白天在家時，應保持門窗緊閉，開車時，應關閉窗戶，並使用抗花粉空氣濾清器。
- 在晚上關窗防止花粉漂移入家中。必要的話，使用有HEPA濾網空調或空氣清淨機，可以濾淨空氣，其濾網應常更換。
- 凌晨減少外出活動。花粉通常是在上午5:00至10:00之間散發。
- 旅行時關上車窗。
- 當花粉計數或濕度高的日子，和起風導致塵土和花粉飛揚時，盡量留在室內。
- 度假時選擇花粉相對較少的地區，譬如海灘。
- 花粉季節時，病人不應割草；走在草地上，或在室外作運動時，應該戴口罩。
- 不要將衣物懸掛在室外晾乾，花粉可能會附著其上。

結論

根據國內外醫學研究報告顯示，早期暴露於室內過敏原，如塵蟎、有毛寵物、蟑螂等，可能會增加呼吸道氣喘的危險性。但也有研究顯示，在鄉下環境中對寵物的暴露，可保護日後呼吸道過敏的發展。一般而言，在潮濕的地帶，過敏原主要是塵蟎，而像乾燥的美國西南方，則以有毛寵物為主要的過敏原。已經有幾項研究顯示，對已具感受性的病人而言，當暴露在較高濃度的過敏原之中時，特別是在室內環境下，其過敏氣喘會更加厲害。呼吸道過敏的產生端視於遺傳傾向與環境刺激的交互作用，所以一個好的過敏原預防策略，應可改善過敏氣喘疾病的演進過程，同時降低病人對過敏氣喘藥物的需要量。

7

藥物過敏

洪志興（高雄醫學大學附設紀念醫院小兒過敏免疫科主任）

什麼是藥物過敏？

藥物過敏，顧名思義即是吃下、打了，甚至是塗抹了任何藥物之後，引發免疫系統的異常反應，而產生局部或全身症狀。大部分藥物過敏反應並不會太嚴重，引起的症狀在停止使用藥物後，幾天之內就會消失，但有些藥物誘發的過敏反應是相當嚴重的。有些藥物過敏反應會隨時間而緩解，但當對某個藥物發生過敏反應之後，就可能永遠會對那種藥物過敏，也可能會對其它同類或結構相似的藥物過敏。

過敏的治療方式依症狀的不同而異，因此醫生會釐清患者是否對某一藥物過敏，並且得知患者身上有關過敏的表現，從而得到較正確之診斷。此外，有些人服藥之後也會產生身體不適的反應，這種情況稱為「藥物不耐症」，但並不能歸類為藥物過敏。這些患者會有一種或多種胃腸方面的不適，例如噁心、嘔吐、下痢、腸絞、腹痛、頭昏等。另外，藥物本身因為藥理作用所引起一些生理反應，也常令人誤以為是過敏。上述諸反應**和藥物過敏的不同之處，取決於藥物過敏有免疫系統的參與，而藥物不耐症則無**。

藥物過敏會有什麼症狀？

藥物過敏的症狀可能從輕微到非常嚴重都有。症狀包括：**蕁麻疹、水泡、斑疹或丘疹**，這些是藥物過敏最常見的症狀。其他症狀如下：

- 咳嗽、流鼻涕、呼吸困難。
- 發燒。
- **毒性表皮壞死（necrolysis）**：這是皮膚起水泡和脫皮的嚴重情況，如果未妥善治療，可能會致命。
- **過敏性休克（anaphylaxis）**：這是最危險的反應，可能會致命，並且需要緊急治療。其症狀表現如呼吸困難，通常在服用藥物的1個小時之內出現。如果沒有快速處置，可能會進入休克狀態。

除上述症狀外，藥物過敏也會導致下列情況：

- **血清症**：這個罕見的情況通常開始於接觸藥物後的6到21天之後。症狀包括發燒、虛弱和身體疼痛、關節痛，和皮膚出疹，如蕁麻疹或紅疹。
- **藥物熱**：症狀包括高燒和冷顫，有時伴有皮疹。停止使用藥物後，通常在48到72小時之內會退燒。
- **自體免疫疾病**：藥物過敏可能會導致免疫系統的錯亂，引起如藥物導致的狼瘡、血管炎，和重症肌無力等自體免疫疾病，所幸這些情況是罕見的。
- **破壞血小板和紅血球，造成血小板缺乏和溶血性貧血**：「血小板缺乏」的症狀包括容易瘀青、出血，在腳和腳踝附近出現紫斑和容易流鼻血。「溶血性貧血」可能會有的症狀包括發燒、冷顫、呼吸急促和心跳快速等。

引起過敏反應的常見藥物有哪些？

任何藥物都有引起過敏的可能性，但以下幾類是較常發生的：

- 青黴素（如nafcillin、ampicillin或amoxicillin）。這些是最常引起過敏反應的藥物。
- 磺胺類藥物。
- 巴比妥酸鹽。
- 胰島素。
- 疫苗。
- 抗癲癇藥物。
- 治療甲狀腺機能亢進的藥物。

如果對某一藥物是過敏的，可能對也會對同一類藥物過敏。例如，如果對青黴素過敏，就可能對相似的藥物，如頭孢子素也產生過敏。

藥物過敏如何診斷？

醫生診斷藥物過敏時，會藉由詢問患者最近所服用的藥物，並詢問過去的健康情況，和服用這類藥物的相關症狀表現，再加上詳細的身體檢查來研判。如果仍然無法區別出患者是否有此類藥物過敏，可能會安排「**皮膚測試**」。也許醫生會給予少量藥物，看看是否有相同的反應。在某些情況下，患者可能需要**驗血或進行其它類型的測試**。做皮膚測試時，醫生會在皮下注入少量藥物，看看身體對它的相對反應。但並不是所有藥物都能做皮膚測試來證實藥物過敏，而且病人可能冒著產生嚴重過敏反應的危險。

當服用藥物後有不舒服的情況時，應注意下列幾點，並且告訴醫師：

- 過去曾服過任何藥物而感覺不適或出現不尋常的症狀嗎？若有，您能記住這藥物的名稱嗎？
- 您能描述當時的反應嗎？
- 當時是口服或是注射完藥物而感覺不適或出現不尋常的症狀的？
- 這些不適感或不尋常症狀是在服用藥物多久之後發生的？
- 您之前因為服過藥物而感覺不適或出現不尋常的症狀，距離現在隔多久了？

藥物過敏如何治療？

最好的方法就是立刻停止使用引發過敏，或相關的藥物。病人身上最好備有一張列出會引起過敏之藥物的小卡片，發生緊急狀況時，能讓醫師知道病人的情形，這可能會是救命的關鍵。

當您有過敏反應時，還應該知道可為自己做些什麼：

- 與醫生溝通看看是否有其他的替代藥物。
- 如果出現會威脅生命的過敏反應，如呼吸困難，應立刻就醫。醫師可能會給予口服的抗組織胺或類固醇，甚至有可能採注射的方式。症狀嚴重者可能會注射腎上腺素。
- 如果是輕微的過敏反應，使用抗組織胺即可緩解症狀。如果病人使用第一代抗組織胺會產生嗜睡的副作用，可改用第二代抗組織胺。如果抗組織胺無效，可能需要用到類固醇或其他藥物。

如果無法更換藥物，醫生也許會嘗試採用「**減敏治療**」。減敏治療期間，一開始服用少量引發過敏的藥物，並逐漸增加劑量。這種方法可使免疫系統「認識且習慣」這種藥物，使身體不再對此藥物過敏。由於可能會有嚴重的過敏反應，治療期間，需在有緊急醫療協助及在醫療專業人員的監督下執行。

還有什麼方式可以改善過敏症狀？

如果有輕微的皮疹，可採取以下步驟使自己感覺較舒適：

- 洗澡水的溫度不要太高，也可進行冷敷。
- 穿著純棉衣物。
- 避免強效肥皂、洗潔劑等刺激物質和其它化學製品。
- 依醫師指示，按時服藥，並使用止癢藥膏。

如果曾有藥物過敏或不適的情形，別忘了每次就醫時，都要主動提醒您的醫師或藥師，並建議將可能誘發過敏的藥物名稱記下來隨身攜帶，如此可提供醫護人員做為參考，並且更能確保個人用藥的安全。

18

關於過敏的診斷

王志堯（成功大學醫學院小兒學科教授）

前言

過敏疾病是現代人常見的急性或慢性疾病。過敏病是文明病，由於生態環境污染的結果，全球的過敏病患者都在增加，台灣自不例外。根據近年來的統計，氣喘、過敏性鼻炎、異位性皮膚炎的發生率已大幅增加。在兒童統計上，上述三種過敏的比率分別高達11%、34%、6%。兒童以過敏表現的症狀大幅增加，這些症狀包括慢性咳嗽、呼吸困擾、長期流鼻水、打噴嚏、鼻塞、眼睛癢、皮膚癢等，情形極為普遍。相對的，父母親則極為擔憂，求診於各醫院，要求做過敏檢查的情況相當常見。過敏檢查的實際意義何在，代表的過敏性如何，以何種方法、何時檢查，諸如此類的問題，對家長來說，卻多半是欠缺了解的。

事實上，一個人是否有過敏是很容易判斷的，因為過敏的症狀包括各種器官搔癢，如眼睛癢（過敏性結膜炎）、皮膚癢（異位性或過敏性皮膚炎）、鼻子癢（過敏性鼻炎），及氣管敏感（過敏性氣喘）等。這些症狀須仰賴病人的自述及詳細的問診，在排除細菌及病毒感染的因素後，大致都可確定是否有過敏。至於說對什麼過敏，就沒那麼容易診斷出來了，需要透過一連串的病史詢問、皮膚測試，及血清過敏抗體的檢驗方可得知。

過敏試驗的意義爲何？

過敏是對特殊的物質的反應，能夠引發過敏反應的物質，稱為「過敏原」。為了檢查特別的過敏原，而發展出過敏皮膚試驗或血清過敏抗體的檢查方法。過敏試驗並不能診斷過敏疾病，而是測定免疫球蛋白E（IgE）及過敏抗體的診斷工具。免疫球蛋白E在過敏疾病的病理變化中，扮演重要的角色。診斷過敏疾病時，還須配合病史和臨床症狀來研判。

過敏試驗的結果，可提供避免接觸家庭或工作環境中的過敏原，以及特殊藥物或減敏治療時的使用參考。過敏試驗主要用來判定臨床疾病的意義，試驗的結果均以敏感性、特異性、有效性、陽性預測值及陰性預測值來做為判斷。試驗結果的陽性及陰性，表示分析的存在勝過臨床結果的意義。過敏試驗的作用是做為臨床判斷的輔助，若是過度強調過敏原的診斷，可能反而會對過敏疾病的診斷造成錯誤引導。**因為很多無過敏症狀的人也會出現陽性反應，而有些非免疫球蛋白E引發的過敏疾病卻出現陰性反應**。

誰需要做過敏檢查？

成人或兒童的過敏症狀包括：

- **呼吸道症狀**：眼睛癢、鼻子癢、流鼻水、鼻塞、胸悶、喘鳴等現象。
- **皮膚症狀**：長期性蕁麻疹、全身癢及異位性皮膚炎。
- **其他**：包括嚴重性休克過敏反應、腹部過敏症狀等。另外，一般說來，吸入性過敏反應包括塵蟎、花粉、黴菌所引起的過敏等，而食入性過敏則包括過敏食物等。

過敏試驗的原則爲何？

何時應做過敏試驗？臨床判讀的意義何在？有關體內及體外過敏試驗的應用原則如下：

- 過敏試驗用於測試過敏產生的臨床症狀，例如氣喘兒童的臨床症狀多由過敏原促成，過敏試驗是臨床診斷時的有用工具。如果症狀不是由免疫球蛋白E促成，過敏檢查就沒有使用上的意義。
- 過敏試驗時採用的材料應具有過敏性，否則在臨床診斷上就沒有價値。
- 肥胖細胞或嗜鹼性細胞去顆粒化的機轉，並非全部都是過敏性抗體產生的反應。過敏試驗對於非過敏抗體的反應，不具診斷上的價値。有些皮膚試驗產生的紅腫反應，並非全由過敏抗體產生，而是僅代表肥胖細胞、嗜鹼性細胞的去顆粒化。
- 即使有過敏抗體的存在，也不完全代表一定有其臨床疾病。低濃度的過敏抗體通常不易產生陽性反應，高濃度的過敏抗體較易產生臨床症狀。試驗的分析以計分標準來代表是否有陽性反應。另外，有時陽性的試驗與臨床症狀或挑戰試驗的結果並不符合。亦有報告指出，有些無過敏症狀的人卻有高達30%的陽性率，這些無症狀的陽性率，代表過敏症狀可能會在未來發作，也有可能是體內同時有抑制過敏反應的阻斷抗體存在，真正的原因目前仍未知。
- 用來進行過敏試驗之過敏原，若與過敏相關的症狀無關，則不易產生陽性的結果。例如嬰兒較少有機會接觸到蝦子，因此若用蝦子做皮膚試驗，將不能提供有用的臨床結果。

體內試驗有哪些？

體內試驗是指直接在身體上進行過敏試驗。臨床的過敏試驗，包括口服挑戰試驗、吸入性挑戰試驗及皮膚試驗。

■口服挑戰試驗

口服挑戰試驗為**證實食物過敏的標準試驗**。

■吸入性挑戰試驗

吸入性挑戰試驗**用於證實接觸過敏原後，呼吸道的反應**。這項試驗可經由自然接觸，或利用過敏物質（如花粉）或過敏原的抽取物做為試驗。吸入性挑戰試驗亦可用最高流速做為評估。至於相關性的檢查，諸如非特異性支氣管反應過度測定，是利用化學刺激性藥物做為誘發試驗。在臨床上，目前經由皮膚試驗，或特異性過敏抗體測定特殊過敏原的運用，均使得吸入性挑戰試驗在臨床上的使用性降低。

■皮膚試驗

皮膚試驗為將過敏原的抽取物注射入病患的皮膚，刺激肥胖細胞，使之產生小皰及紅疹等。**皮膚試驗具有簡單、操作快速、價格低、敏感性高等特性，為體內過敏試驗的主要診斷方式**，這種方式在過敏檢查上的應用，已有百年的歷史。

直接性皮膚反應主要包括表皮上及皮內試驗。表皮上皮膚試驗的方式包括數種，最常用的為「**針刺試驗**」。針刺試驗的做法是將一滴過敏原抽取液放置於皮膚上，然後用針頭以45度角經由抽取被刺入皮膚，取出針頭後，再判讀過敏反應的結果。相似的試驗包括穿刺試驗，及使用其他改良的裝置，以限制針頭刺入的深度，達到診斷的目的。另外，還有抓痕試驗，因其過敏原的使用難以標準化及缺乏重複性，亦存在假陽性反應，現階段已不再使用。

至於「**皮內試驗**」，通常是將0.01至0.02ml的過敏原抽取液經針頭注射入皮內，形成一個小皰。皮內試驗敏感性較針刺試驗為高，重複性結果佳，惟易致假陽性反應。針刺及皮內皮膚試驗二者之比較如表1。

表1：針刺及皮內皮膚試驗相對優點之比較

特點	針刺試驗	皮內試驗
簡單性	＋＋＋	＋＋
快速	＋＋＋＋	＋＋
陽性及陰性反應的判讀	＋＋＋＋	＋＋
不舒適性	＋	＋＋
假陽性反應	少	可有
假陰性反應	可有	少
重複性	＋＋＋＋	＋＋＋
敏感性	＋＋＋	＋＋＋＋
特異性	＋＋＋＋	＋＋＋
過敏抗體的測定	可	可
試驗的種類	多	少（< 10）

影響過敏皮膚試驗結果的變化因素，包括過敏原的定性、儲存狀況、稀釋度、注射的部位（手臂或背部），以及試驗的間隔及注射的技術等。此外，年齡與藥物的使用亦會影響結果。過敏原的標準化有助於提升診斷的精確度。皮膚試驗如同其他診斷試驗，需要適當的陽性及陰性的對照組。最後的判讀則是依計分法，將紅疹及小皰的反應給予0至4分的分數。

什麼是體外試驗（抽血檢查）？

體外試驗為近年來常用的檢查方法，主要為「抽血檢查」。**在臨床使用上能夠很快的替代皮膚試驗，做為診斷的工具之一**。現階段使用的特異性過敏抗體與體外試驗，均是根據相同的基本原理。也就是說，所有的試驗均為利用過敏吸附作用的原理，運用此原理所測的特異性抗體，目前有幾種不同的系統。各種不同系統的優劣點已廣被許多專家討論。有許多兒科醫師會使用到過敏原的篩選試驗，理想的篩選試驗，應具有較高敏感性及適度的特異性。

什麼是「MAST 36項過敏原篩檢」？

進行過敏原測定時，以免疫螢光法同時測定36項過敏原，其內容包括吸入性、食物性及接觸性過敏原（詳細過敏原種類如下所列）。這36種物質是經過統計，對台灣地區民眾而言，是最容易引起過敏的物質。檢驗報告可顯示受檢者對何種物質過敏。有時MAST的36項過敏原都顯示正常，此時就必須檢測Total IgE是否異常。

■過敏原的種類

01. citrus mix（柑橘類）
02. corn（玉蜀黍類）
03. wheat（小麥）
04. vegetable mix（蔬菜類）
05. crab（螃蟹類）
06. shellfish mix（帶殼類海鮮）
07. shrimp（蝦）
08. codfish（鱸魚）
09. pork（豬肉）
10. beef（牛肉）
11. milk（牛奶）
12. yeast Brewer（酵母菌）
13. soybean（黃豆）
14. peanut（花生）
15. egg york（蛋黃）
16. egg white（蛋白）
17. pine mix（松樹）
18. cottnwood/willow（水柳）
19. eucalyptus（尤加利）
20. mulberry（桑科）
21. grass mix（混合花草）
22. bermuda Grass（狗芽根）
23. ragweed mix I（豬草）
24. pigweed mix（莧草）
25. alternaria（交錯黴菌屬）

26. aspergilus（麴菌屬）
27. candida（念珠菌屬）
28. cladosporium（芽枝菌屬）
29. penicillium（青黴菌屬）
30. feather mix（羽毛）
31. cat dander（貓毛）
32. dog dander（狗毛）
33. cockroach mix（蟑螂）
34. housedust（家塵）
35. mite pteronysinuss（屋塵蟎）
36. mite farinae（粉塵蟎）

結論

皮膚過敏試驗與體外試驗測定特異性抗體，各有其優劣點，適當的操作皮膚試驗及血清檢查，均可正確測定過敏的抗體。目前皮膚試驗仍然為較具敏感性及價格較低的選擇。對於某些可能危及生命的過敏現象，諸如盤尼西林或昆蟲叮咬的過敏，皮膚試驗具有較高的敏感性；皮膚試驗的結果較能夠直接得知，抽血檢查則費時較久；如果非正常皮膚，例如服用藥物干擾皮膚的反應，或曾經發生過敏休克的病史，則以體外試驗為佳。過敏原的試驗不能診斷過敏疾病，僅表示具有過敏的反應，過敏病的最後診斷仍須根據臨床過敏的症狀來決定。

19

過敏性鼻炎

徐世達（台灣兒童過敏氣喘及免疫學會理事長）

認識遺傳性過敏病

近年來醫學界已經了解，遺傳性過敏體質基本上乃是一種與多重基因遺傳有關的慢性過敏性發炎反應，此炎症反應會因為受到各種環境誘發因素的激發，造成臨床上的過敏發作，**而其發作的部位則與其所遺傳到的各別器官異常密切相關**。當此炎症反應發生於支氣管時，稱之為「氣喘病」；發生於鼻腔、眼結膜時，稱之為「過敏性鼻結膜炎」；發生於胃腸時，稱之為「過敏性胃腸炎」；而當其發生於皮膚時，稱之為「異位性皮膚炎」。

認識過敏性鼻炎

過敏性鼻炎的臨床定義為：**有遺傳性過敏體質病人的鼻黏膜，在接觸到其所遺傳到會產生致敏化的過敏原後，由免疫球蛋白E（IgE）媒介產生的發炎反應，所引起的一系列鼻部症狀**。

人類的呼吸系統可大致分為「上呼吸道」和「下呼吸道」兩部分，兩者以喉頭為界。**鼻腔**屬於上呼吸道，為人類氣道的一個重要的出入口及守門者。它可藉由加溫、加溼，及過濾吸入空氣中的有害或可致敏的過敏原顆粒，而達到保護周邊氣道細微結構的作用。但也就是因為此作用，使得鼻子成為遺傳性過敏性體質最容易受到傷害，累積過敏性發炎反應，並且造成過敏性臨床症狀表現的器官組織。

根據1994年台大小兒科謝貴雄教授的調查，大台北地區的十萬名國小學童中，約有33%的小學生患有過敏性鼻炎。近年來，關於國小學生患有過敏性鼻炎之盛行率的流行病學統計，不管在大台北地區（2002年）或是台北市（2007年），皆高達50%左右。

在台灣，引起兒童過敏病常見的吸入性過敏原有塵蟎、蟑螂、狗皮屑、貓皮屑和黴菌等。至於食物性過敏原，則很少引起單純性過敏性鼻炎。在這些過敏原中，尤其是以家塵中的塵蟎最重要。

過敏性鼻炎的臨床症狀

過敏性鼻炎的**臨床症狀主要為流鼻涕、鼻塞、鼻子癢、打噴涕，這些症狀可自行或經治療後消失**。有些病人尚會造成說話有鼻音，眼睛、喉頭、耳道癢，甚至頭暈、頭脹感。病人往往因此而注意力不能集中，影響到工作或功課上的表現。病人在理學檢查時，下眼瞼處往往可見到呈黑色，且具有橫紋（Dennie-Morgan's lines）；朝天鼻；以手掌往上搓鼻子時，鼻樑上會有橫摺；以嘴巴呼吸；鼻黏膜腫脹，呈白色黏液或水樣，若有繼發性細菌感染時，可呈現紅色併有黃或綠色膿液。**其常見的合併症**為反覆性鼻竇炎、腺樣體肥大、歐氏管（耳咽管）功能不良、反覆性中耳炎、嗅覺失靈、牙齒咬合不正、過動注意力不集中、睡眠障礙及因長期以嘴巴呼吸所引起的各種併發症。

過敏性鼻炎的新分類

以前過敏性鼻炎的分類是根據接觸過敏原的時間，將過敏性鼻炎區分為季節性、經年性，和職業性，但這種分法並不令人十分滿意。因有時與花粉有關的季節性過敏性鼻炎，其臨床症狀卻是經年存在的。反之，對塵蟎過敏的經年性過敏性鼻炎，有時卻會呈現無症狀時期。

最新的過敏性鼻炎分類法，是結合過敏性鼻炎的症狀及對生活品質的影響，來根據病程，將過敏性鼻炎分為「間歇型」（以花粉過敏為代表）和「持續型」（以塵蟎過敏為代表）兩類。再根據過敏性鼻炎病情的嚴重度，即症狀及對生活品質的影響，進一步將過敏性鼻炎又分為「輕度」（表示無令人困擾的症狀）和「中／重度」。根據這種最新的分類方法，可將過敏性鼻炎分為「**輕度間歇型**」、「**中／重度間歇型**」、「**輕度持續型**」、和「**中／重度持續型**」等四類。（表1）

目前在台灣地區的過敏性鼻炎病人，大多是對塵蟎過敏，且當他們尋求過敏免疫學專科醫師的治療時，皆已經產生令人困擾的症狀，所以根據過敏性鼻炎治療的ARIA（Allergic Rhinitis and Its Impact on Asthma，過敏性鼻炎及其對氣喘的影響）準則，其疾病嚴重度的分類都屬於中／重度持續型過敏性鼻炎。

過敏性鼻炎的診斷

過敏性鼻炎一般是透過下列檢查來診斷：

- 一個典型的過敏病史（包括家族史）、過敏性鼻炎臨床症狀，與過敏性鼻炎特徵相符的理學檢查。
- 共通的遺傳性過敏病檢查（包括嗜酸性白血球與IgE的總量、特異性IgE抗體，或過敏性皮膚試驗），以找出病人的過敏體質或其致敏原。
- 鼻黏膜嗜酸性白血球抹片。
- 鼻腔激發試驗。

過敏性鼻炎的治療

對於已產生遺傳性過敏病（包括過敏性鼻炎）的病人，找出病人所遺傳到會過敏的過敏原，並將其避免掉，以防止發炎反應繼續累積，乃是目前所知最有效的抗過敏發炎治療。至於已經累積在病人身

表1：過敏性鼻炎的新分類

間歇型	持續型
症狀發生天數<4天/週	症狀發生天數>4天/週
或病程<4週	和病程>4週

輕度	中/重度（有下列一項或多項）
睡眠正常	不能正常睡眠
日常活動、運動和休閒娛樂正常	日常活動、運動和休閒娛樂受影響
工作和學習正常	不能正常工作或學習
無令人困擾的症狀	有令人困擾的症狀

體內的過敏性發炎反應，則須由過敏免疫學專科醫師適當使用抗過敏發炎藥物，使其體內的過敏性發炎反應大幅降低，病人才有機會不再受到遺傳性過敏病的困擾。所以，**找出病人過敏的過敏原（包括塵蟎、蟑螂、貓狗等有毛寵物、黴菌，及花粉等），並加以適當地避免，是最重要的處置**。

目前用來治療過敏性鼻炎的藥物包括抗組織胺（口服或局部鼻腔噴霧使用）、血管收縮劑（口服或局部鼻腔噴霧使用）、咽達永樂（Intal，局部鼻腔噴霧使用）、抗膽鹼劑（即「抗乙醯膽鹼製劑」、「抗膽鹼激導性劑」，局部鼻腔噴霧使用，如Ipratropium）、白三烯素調節劑（即「白三烯素拮抗劑」，口服使用），與類固醇製劑（必要時的口服類固醇或局部鼻腔噴霧使用）（表2）。

鼻腔局部使用的噴霧式類固醇製劑，是台灣地區持續型過敏性鼻炎病童的最有效治療選擇。目前在台灣地區的過敏性鼻炎病人，大多是對塵蟎過敏，都屬於中／重度持續型過敏性鼻炎，根據過敏性鼻炎ARIA治療準則，對於中／重度持續型過敏性鼻炎病人治療的首選藥物，為噴霧式鼻內類固醇製劑，尤其是新一代的類固醇製劑，包括Fluticasone（第三代，即輔舒酮[Flixotide]）和Mometasone（第四代，即內舒拿[Nasonex]）。噴霧式鼻內類固醇製劑對中／重度持續型過敏性鼻炎病人的維持治療，須於病情穩定後再持續治療一個月以上。

根據世界衛生組織2001年的宣布，適當使用此新一代的類固醇，即使對孩童最細微的生長發育也不會有不良的影響，因為新一代的噴霧式鼻內類固醇製劑的局部抗發炎作用增加，系統清除率加速，經肝臟的第一次通過代謝率近乎完全，且生體獲得率（即bioavailability，為藥物進入體內 [如消化道、呼吸道] 後可進入全身循環的比例）大幅降低，使得適當使用的病人，很少產生不當使用類固醇所造成的任何全身性或局部性的副作用。對於極少數已正確地改善環境，避免過敏原及刺激物（尤其是塵蟎過敏的防治），並接受了適當的藥物治療，而仍有持續嚴重症狀的病人，**減敏療法**可提供其另一種治療的選擇。當在某些特殊狀況下，具有資格的過敏免疫專科醫師，欲執行此一免疫減敏注射療法時，除須隨身備有完整的急救設備外，尚須觀察注射完的過敏病童至少二、三十分鐘的時間。

同一氣道同一種疾病——過敏性鼻炎與氣喘

鼻腔與支氣管都屬於呼吸系統的一部分，但是由於解剖學位置、周邊結構、與生理功能的不同，這些相互接連的呼吸道黏膜組織亦有

表2：ARIA過敏性鼻炎治療準則——過敏性鼻炎的藥物治療

藥物名稱		噴嚏	鼻漏	鼻塞	鼻癢	眼部症狀
H_1-抗組織胺	口服	++	++	+	+++	++
	鼻內	++	++	++	++	0
	眼內	0	0	0	0	+++
類固醇	鼻內	+++	+++	+++	++	++
咽達永樂	鼻內	+	+	+	+	0
	眼內	0	0	0	0	++
去鼻充血劑	鼻內	0	0	++++	0	0
	口服	0	0	+	0	0
抗膽鹼劑		0	++	0	0	0
抗白三烯調節劑		0	+	++	0	++

相當程度的不同之處，例如位於上呼吸道的鼻腔外圍受到堅硬的頭骨限制，當其黏膜產生的過敏性發炎反應造成局部黏膜腫脹時，只能向鼻腔內凸出，因此而造成鼻道阻塞現象。鼻腔的生理功能需要對吸入的空氣加溫、加溼，並加以過濾，所以不但具有鼻毛，且富含豐富的靜脈血管網，但是不具有平滑肌組織。反之，位於下呼吸道的支氣管的外圍為柔軟的肺部組織，且因其需要維持適當張力，以調節空氣的進出量，故具有完善的平滑肌組織。

根據流行病學的研究，78%的氣喘病人有鼻部症狀，而38%的過敏性鼻炎病人曾發生氣喘。有關過敏性鼻炎與氣喘病相關性的致病機轉，主要為在鼻腔及支氣管形成的一種連續性的過敏性呼吸道炎症反應（所謂的同一氣道同一種疾病），其他尚包括：

- 神經（鼻腔支氣管）反射。
- 鼻涕倒流。
- 過敏性發炎細胞及其介質由鼻腔被釋放到全身血液循環，再到肺部去。
- 鼻塞引起鼻腔對吸入空氣的加溫、加溼，和過濾功能的減少。
- 鼻塞引起的嘴巴呼吸會使肺部吸入過敏原的機會增加。

對於持續型過敏性鼻炎的患者，應根據病史、胸部檢查結果，確定有無併發氣喘。有氣喘的患者也應該注意是否有過敏性鼻炎（病史及理學檢查）。對於同時患有上下呼吸道疾病的病人，應根據療效及安全性，採用綜合的治療方式。可用來同時治療過敏性鼻炎與氣喘病的藥物，包括類固醇、咽達永樂、抗膽鹼激導性劑、茶鹼，和白三烯素調節劑等。至於乙二型交感神經興奮劑的使用，只對氣喘病有效；而有血管收縮作用的甲型交感神經興奮劑，則只對過敏性鼻炎有效。

20 兒童異位性皮膚炎

歐良修（林口長庚醫院兒童過敏氣喘風濕科助理教授級主治醫師）

異位性皮膚炎嚴重影響生活品質

異位性皮膚炎是一種慢性、覆發性、高度搔癢的皮膚發炎疾病，在台灣的盛行率約8%至10%。由於近年來異位性皮膚炎盛行率一直上升，更受到大家的重視。雖然異位性皮膚炎可出現於任何年紀，但以小朋友為主，大約60%的患者在1歲之前就出現症狀，85%在5歲之前就會發病。一般而言，有異位性皮膚炎的小朋友皮膚較乾燥，易有搔癢感，敏感易受刺激。有時皮膚是完好的，有時則會出現濕疹。**目前原因不明，根據研究分析，基因以及環境有很大的關聯**。

異位性皮膚炎和其他過敏疾病有密切的關係，是所謂「**過敏進行曲**」（Atopic march）**的第一步**，接近80%的患者日後會有氣喘或過敏性鼻炎的問題。根據我們2002年在台北市所做的ISAAC（International Study of Asthma and Allergy in Children）調查顯示，兒童異位性皮膚炎的盛行率較以往的調查增加許多，目前台北市的國小一年級有10.6%的學童曾有異位性濕疹，而且在最近一年仍有症狀者占8.6%；國中二年級的調查顯示7.4%有異位性濕疹，而最近一年仍有症狀者占5.5%。不僅嚴重影響自身的睡眠品質，連帶使得父母親的睡眠品質也大受影響，是造成缺課或父母親請假的一個主要因素。

要避免造成惡化的因子

在嬰幼兒時期，異位性皮膚炎多出現在臉頰、頭皮、四肢外側附近的皮膚。隨著年紀增加，濕疹則好發於手腕、手肘、膝蓋或是腳踝等彎折處，臉部及頸部也常發生。如何照顧這樣的小朋友，是父母親的一大困擾。首先須做好異位性皮膚炎的平時照護，及選用適合的保養品，並找出應避免之造成發癢、紅疹惡化的因子。

幼兒中／重度異位性皮膚炎的患者之中，40%有**食物過敏**，容易引起過敏的食物包括牛奶、蛋、花生、小麥、堅果類、豆類及海鮮。另外，在氣喘或過敏性鼻炎方面很重要的**空氣過敏原**（例如塵蟎、動物皮屑、黴菌），也會誘發異位性皮膚炎的惡化。以這些空氣過敏原進行皮膚貼片試驗（patch test），同樣可以使異位性皮膚炎患者產生局部濕疹的變化。所以防蟎以及食物控制也是重要的預防措施。

預防惡化的方法

異位性皮膚炎患者常會感到搔癢，但搔抓、磨擦反而更增加搔癢感，如此惡性循環，不僅使紅疹惡化，長期下來皮膚也會增厚，所以必須：

- 保持指甲光滑及清潔，以防止抓癢時皮膚受傷。
- 感到搔癢時，使用保濕劑（moisturizer）取代抓癢或摩擦。

有很多化學物質、溶劑、皂類、清潔劑、芳香劑都會造成皮膚的刺激，因此建議：

- 先將新衣服洗過再穿。福馬林（formaldehyde）及其他刺激性化學物品很可能存在於新衣服上面。

- 穿棉質或混棉的衣服比較不易刺激皮膚；移除會困擾皮膚的衣服標籤；如果縫線會造成皮膚不適，在家中時試著將衣服反穿。
- 如果衣服清潔劑會造成刺激，盡可能使用無色無味的液體清潔劑；另外，洗完衣服後再沖洗一次，可清除殘留的洗衣劑。
- 避免曬傷。使用防曬係數（SPF）15或以上的防曬乳液。如果防曬乳液對皮膚有刺激性，則更換不同廠牌或使用臉部專用的防曬乳液。
- 在每次游泳後，記得使用微量的清潔劑清除身上所殘留的化學物品，並且使用適量的保濕劑來保持皮膚的滋潤。

國內異位性皮膚炎照顧的保濕工作常被忽略，大部分都做得不夠，皮膚乾燥可以使異位性皮膚炎的症狀加劇。吹風、低溼度、肥皂、某些護膚產品、清洗或沐浴後沒有保濕，都會造成皮膚乾燥。

對於皮膚乾燥，最重要的步驟是補充失去的水分，最有效的方法是浸泡盆浴或是洗澡，洗完後溫柔的輕拍擦拭身體，不要全擦乾，讓皮膚含有一些溼度，然後立刻塗上一層保濕劑，以確保水分保留於皮膚上。我的建議是：

- 每天泡澡及保濕，使用溫水（非熱水）泡澡或淋浴，每次15至20分鐘，使皮膚吸收水分。
- 沐浴清潔劑微量使用，並避免搔抓。
- 輕拍過多水分，立刻抹上醫師開的藥物或保濕劑，以保持皮膚的濕度（如果使用藥物，勿於藥物上再塗一層保濕劑）。

詢問醫師建議使用何種沐浴清潔劑及保濕劑，一天中只要感覺皮膚乾燥或搔癢，便可以立即使用保濕劑。一般夏天容易流汗，可選擇乳液保濕劑，冬天或極度乾燥膚質，可選擇乳霜保濕劑。沐浴清潔劑可以是香皂或是液態狀。可選用標示「敏感肌膚專用」（sensitive skin）

的產品。最好是無香精、無人工色素的產品。

最後是**配合醫師使用適當的藥物**。一般包括**口服抗組織胺藥物**，來減少搔癢感，及**局部塗抹類固醇藥膏**。在兒童時期的異位性皮膚炎患者，頭頸部是相對好發的部位，但由於臉部皮膚較薄，若長期使用類固醇藥膏，皮膚變薄的副作用相對較明顯。近年來新發展的**非類固醇用藥**，如「醫立妥」（Elidel）及「普特皮」（Protopic）是屬於免疫抑制劑的藥物，由於效果不錯又無類固醇副作用，是頭頸部患處很好的選擇，目前已可安全使用於2歲以上的患者，而3個月至2歲孩童的臨床試驗也正在進行中。在2歲以下，免疫抑制劑的局部藥物仍未經FDA（美國食品藥物管理局）證實長期使用的安全性報告，最好遵循醫師處方，不要自己隨意使用。但對於嚴重非頭頸部位慢性變化的濕疹，還是以類固醇藥膏較為適當及有效。

也要做好平時照護工作，才能有良好治療成效

醫師要依據病人個別狀況，包括異位性皮膚炎嚴重度、影響面積的大小、是否合併其他病菌的感染，選擇最適合病人的處方。在臨床上，曾看到許多病患雖然使用藥物來治療異位性皮膚炎，卻沒有做好皮膚的基礎保濕工作，一味使用藥物卻不見成效，不僅浪費醫療成本，對病人的幫助也大打折扣。如果做好上述異位性皮膚炎的平時照護工作，相信異位性皮膚炎都會受到很好的控制，要有信心，別忘了兒童異位性皮膚炎**八成以上都會痊癒**。但是必須提醒的是，有異位性皮膚炎的幼童，其中約有**八成以後可能會有過敏性鼻炎或氣喘**。

近年來，在台灣地區，不只過敏性鼻炎、氣喘病患大幅增加，嬰幼兒罹患異位性皮膚炎的狀況也快速攀升，這是一個不容忽視的過敏病，希望大家在關心以外，都能有正確的認識。

21

蕁麻疹

楊曜旭（台大醫院小兒過敏免疫風濕科主任）

什麼是「蕁麻疹」？

蕁麻疹，Urticaria這個名詞來自拉丁文urtica（一種植物的名稱，現在發現其含組織胺成分），最早由英國科學家賀伯登（Henberden）在18世紀時提出，描述身上在受到某些刺激後，皮膚產生具強烈癢感的不規則突出疹塊。在古代中國則稱之為「風疹塊」。

會有哪些症狀表現？

典型的蕁麻疹以突發性的「**疹塊**」來表現（圖1），這些疹塊通常奇癢無比，且可分布於全身皮膚。疹塊存在的時間不會超過24至48小時，有時新舊疹塊會互相融合。按壓於蕁麻疹病灶上時，其顏色會消退，表示其病理變化是因皮下小血管擴張充血與水腫所造成。

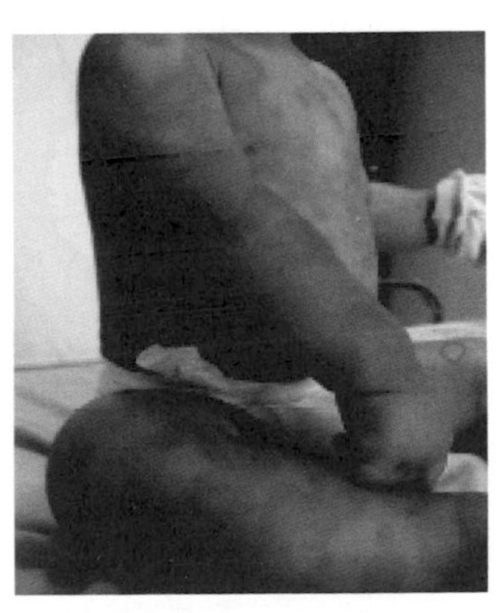

●圖1：典型的蕁麻疹以突發性的「疹塊」來表現

除了典型的表皮癢疹外，蕁麻疹病患有時會合併軟組織及黏膜的腫脹，醫學上稱之為「**血管性水腫**」（Angioedema，

圖2），其病理變化位於皮膚較深層的真皮與皮下組織，可發生於眼皮、嘴唇、舌頭，甚至呼吸道或消化道的黏膜，而產生聲音嘶啞、呼吸困難、噁心嘔吐等症狀。

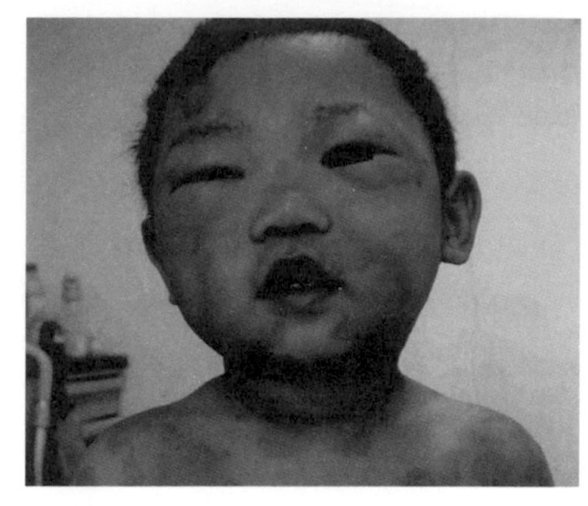

●圖2：「血管性水腫」為合併軟組織及黏膜的腫脹

依據病程，蕁麻疹可區分為**急性**，即病程持續幾個小時或幾天，急性蕁麻疹相當常見，約10%至20%的人一生中會發生一次；若癢疹反覆出現超過六個星期以上，醫學則定義為**慢性**蕁麻疹。

致病原因有哪些？

引起蕁麻疹的原因很多，其機轉亦不相同。一般分為「過敏性蕁麻疹」及「非過敏性蕁麻疹」。以下為一些常見原因及致病機轉：

■過敏性蕁麻疹

過敏性蕁麻疹主要與IgE抗體有關。這一類蕁麻疹在臨床上最為常見，而其形成機轉是因為先前曾接觸過某特定過敏原（如堅果、有殼海鮮、盤尼西林等），身體因而產生此過敏原專一的IgE抗體，這些抗體會附著於肥大細胞（mast cell）表面，當身體再次接觸到此過敏原時，過敏原會與肥大細胞上的IgE結合，促使肥大細胞去顆粒化釋放出一些發炎相關介質，如組織胺（histamine）、白三烯素（leukotriene），以及一些酵素如胰蛋白酶（tryptase）和凝酪酶（chymase），而這些物質會進一步造成局部組織發炎、血管通透性增加、水腫及疹塊的形成。另外，有一些物質如影像學檢查中所用的顯影劑，則不須經由IgE，亦可促使肥大細胞分泌上述化學介質，醫學上稱之為「類過敏反應」。這類的刺激物不同於過敏原，第一次接觸即會產生症狀。

■皮膚劃紋現象（dermographism）

屬於物理性蕁麻疹。經統計約有5%的人具此現象。所謂皮膚劃紋現象，即以鈍物劃過皮膚所產生的反應，一開始局部血管收縮產生白線狀反應（linear response），之後泛紅發癢，並慢慢形成線狀突起的疹塊（linear wheal）。

■膽鹼性蕁麻疹（cholinergic urticaria）

屬於物理性蕁麻疹。症狀通常在運動後、洗熱水澡、情緒激動，或熱飲後產生。癢疹易出現於頸部、肘關節與膝關節屈側，及大腿內側。當溫度下降後，病灶也會隨之慢慢消失不見。致病機轉一般認為，當具特殊體質的人遇到上述誘因時，神經系統會釋放出一些血管活化介質，而導致蕁麻疹的形成。

■壓力性蕁麻疹（pressure urticaria）

屬於物理性蕁麻疹。因局部表皮受到壓力而產生，如腰帶、胸罩束帶太緊，或長期穿著緊身衣。疹塊一般在受壓4到6個小時後出現。

■冷因性蕁麻疹（cold urticaria）

屬於物理性蕁麻疹。因身體接觸低溫後所引發，如突然跳入冷水游泳池或接觸冰塊。

■日光性蕁麻疹（solar urticaria）

屬於物理性蕁麻疹。暴露於陽光照射下引起，此種蕁麻疹少見於孩童。

■特殊藥物誘發的蕁麻疹

有些人服用如非類固醇性消炎藥、阿斯匹靈等藥物會引發蕁麻疹。這並不是IgE相關的過敏反應，真正的致病機轉有待進一步釐清。

■感染誘發的蕁麻疹

有些病原菌如B型肝炎病毒、黴漿菌等，也曾被報告會引發蕁麻疹。

■慢性特發性蕁麻疹（chronic idiopathic urticaria）

從字面上可知此種蕁麻疹會反反覆覆持續六個星期以上，且找不到特別的誘發因素。近幾年來的研究發現，有些病人身上具有特殊的IgG抗體，可以和肥胖細胞上的「IgE抗體接受器」結合，而導致肥胖細胞釋放各種化學介質。另外一些人則具有會與IgE結合的IgG自體抗體，當此自體抗體與IgE結合後，會經由補體活化而產生發炎。

■其他

有些蕁麻疹會伴隨腫瘤或自體免疫疾病（如全身性紅斑性狼瘡）而產生。

要如何診斷？

蕁麻疹的診斷主要依據臨床皮膚疹的表現、特徵與進展。詳細的問診、追蹤病史、皮膚扎針測試（skin prick test）及抽血檢測過敏原，有助於找出可能的誘因。部分慢性蕁麻疹病人會有「自體皮膚試驗」（autologous skin test）的陽性反應。做法是取病人的血漿打入病人自己的皮下，陽性者會在局部產生典型的疹塊。

要如何治療與預防？

一般處理的通則為：**找出誘發的因素並加以避免**。譬如日光性蕁麻疹患者應避免直接曝曬於陽光下，外出時要穿著具保護遮蓋性的衣物，及使用防曬乳液。對於患有壓力性蕁麻疹的病人，應穿著寬鬆、質輕、可透氣的服飾。阿斯匹靈或非類固醇消炎藥在一般感冒發燒時使用頻繁，若服用此類藥物會引發蕁麻疹，退燒時須避開這些藥，而以乙醯胺酚（acetaminophen，如普拿疼）替代。另外，要避免過度頻繁的洗澡，以防止皮膚因保水功能破壞而過度乾燥，乾燥的皮膚會造成皮膚的搔癢，進而加重蕁麻疹的症狀。

急性蕁麻疹病程短，在除去刺激因素並服用抗組織胺後，大部分症狀就會緩解。如果病人同時有嚴重的血管性水腫，且造成呼吸道腫脹導致呼吸困難，此時須馬上使用急救藥物，如腎上腺素（epinephrine）。針對**慢性反覆的蕁麻疹**，藥物治療上仍以抗組織胺為主，一般會選擇第二代的抗組織胺（較不會引起嗜睡的副作用），服用一段時間。若單獨使用抗組織胺無法有效控制症狀，有時會加上H_2阻斷劑（體內有兩種組織胺接受器，即H_1及H_2，而抗組織胺為H_1阻斷劑）、白三烯素拮抗劑，或者會考慮使用類固醇或其他免疫調節用藥。慢性蕁麻疹的藥物療程通常較長，須與醫師好好配合，不可擅自停藥，以免病情再度惡化。

Part 3

【免疫的學理篇】

22

細胞激素

免疫樂章的音符

張德明（中華民國免疫學會理事長）

免疫系統的健全是人類維繫健康的重要關鍵，而細胞激素則是調節免疫系統的靈魂。這些低分子量的醣蛋白由各型細胞分泌後，就像交響樂團的指揮棒，完成細胞間的互語，譜成生命的樂章。

分子生物學、生化學及免疫學的突破性發展，讓我們更進一步了解這些激素的結構、功能，以及其在健康與疾病間扮演的角色，甚至開啟了治療的大門。

細胞激素的特性

大多數的細胞激素都是源自四方、奔向各地，亦即能分泌的細胞常不只一種，且可和能表現其受體的多型細胞結合，並經由訊息傳遞展現功能。同時，細胞激素不但能刺激自己需要的受體，也能刺激其他細胞激素的受體，十足是個好管閒事的包租婆。

細胞激素的另一特色，即不同種的細胞激素可表現出相同的生物功能，這樣的特性是健康的多重保證，因為當一種細胞激素受到抑制或消除時，其他仍可取而代之，使功能得以維繫。

細胞激素在功能上如網絡般或瀑布般漫天鋪地的分布。它可以在分泌後回頭調節自身細胞的功能，也可以在分泌後，調節周遭的環境，更可以隨血流而行，無遠弗屆。

細胞激素一旦被分泌後，其半衰期極短，通常不超過數分鐘，但即使只有短時間微量分泌，卻可因其前仆後繼而影響深遠。正常情況下，他們的分泌，維護著免疫系統的運作，可是一旦失調，即理所當然的造成疾病或傷害。

細胞激素的功能

因來源與功能的不同，可以將細胞激素分為**第一型幫助型T細胞類**（包括第二介白質、伽瑪干擾素、第十二介白質、腫瘤壞死因子甲），這類細胞激素主要負責清除如病毒或寄生蟲等細胞內感染，調節器官專一性自體免疫疾病，或異體移植排斥等。另一類為**第二型幫助型T細胞類**（包括第三、第四、第五、第十三介白質），影響所及包括過敏疾病，慢性移殖物對抗宿主疾病、腫瘤轉移等。此外，**第三型幫助型T細胞類**主要是包括第十介白質或轉型生長因子等調節性細胞激素，用以維持人體內的環境平衡。近來，又發現所謂第十七型幫助型T細胞，這類細胞可分泌包括第十七介白質A和F，第二十一和第二十二介白質，且皆在發炎反應中扮演重要角色。**其他**尚包括與造血、生長分化、免疫調節、發炎、抗發炎、趨化有關的各型細胞激素。

細胞激素因遺傳差異而具多型性，對刺激的反應也不同，其分泌濃度可影響其對疾病的易受性和抵抗力。譬如，假使腫瘤壞死因子產量過低，即可能使人類罹患腦膜球菌腦炎的致死率超過十倍，而第十介白質的量過高，也可提升其致死率至二十倍，這類發現促使醫師科學家展開細胞激素多型性與疾病關係，以及遺傳基因的標記和調控的相關研究，希望藉以進一步維護人類的健康。

正常狀態下，在人體體液或組織中，幾乎沒有或僅有少量細胞激素可被偵測，因此當其表現增加時，即代表有某種刺激，而最可能的來源即是發炎或疾病。而且在疾病早晚期，也會表現出不同的細胞激素量，對這部分的深入了解，使細胞激素的表現成為人類健康乃至疾病病程或預後的標記，並且在治療上給了指引和方向。

細胞激素與免疫系統

免疫細胞一方面仰賴細胞激素的滋潤而發展、分化並展現功能，另一方面在活化後，再分泌細胞激素，周而復始。

因此了解包括淋巴球、單核球等各形細胞在刺激下，對細胞激素的反應及分泌狀況，即能更貼切的了解免疫系統。這些下游的變化包括胸腺發展出T細胞再分化、B細胞的成熟分化、漿細胞的產生及製造抗體、自然殺手細胞成熟和活化等，使後天免疫能積極應付各種身體的變化及外來刺激。同時身體的非免疫細胞也會在刺激或環境改變上，表現細胞激素受體，並製造細胞激素，因此事實上，**細胞激素不但是維繫免疫系統的重要媒介，也是身體各器官系統的溝通橋樑**。

細胞激素與人類疾病

生理或病理的刺激，皆可使細胞激素系列性的活化和分泌，先快速的奔達頂點，再視刺激的強度和時間以便回復或持續。因為分子生物學的進步，已有許多方法可偵測各種體液，以及組織中的細胞激素濃度，也因此可彙整出各式疾病之細胞激素的系列性的變化，從而尋求治療上突破之道。

此外，我們也了解患部局部的細胞激素濃度與活性較全身（循環血液）者更重要，唯患部組織較難獲得，也較難再取得正常組織加以比較，因而這方面的資訊仍顯不足。

臨床研究上，我們常用體液中的細胞激素變化做比較，或再與疾病的嚴重度做對照，嘗試找出治療的切入點。譬如說癌症，在重要轉移狀態下，常與第二型幫助型T細胞的細胞激素有關，而若治療有效，則細胞激素的變化即會由幫助型T細胞第二型移至第一型。又如甲型腫瘤壞死因子和丙型干擾素在宿主防衛感染，及發展第一型幫助型T細胞反應上，皆扮演種要角色，但也同時涉及自體免疫疾病，如類風濕性關節炎、多發性硬化症及第一型糖尿病等的致病機轉，因此若能系列性的掌握疾病進程中細胞激素的變化，使其成為疾病或疾病活躍程度的生物標記，就可提供臨床治療上重大的貢獻和協助，我們期待蛋白質體學與基因體學的進展，能使我們更精準的測量體液與組織中細胞激素的細微變化，俾使啓動更精準的治療手段。

因為基因複製細胞激素的生產已逾二十年，以此法治療疾病的進展方興未艾，過去使用第二介白質治療腎細胞癌，甲型干擾素治療黑色素細胞瘤、C型肝炎及髮細胞白血病等皆有成功的案例，但也可能因突然增高的濃度，而由其本身或刺激下游細胞激素，產生嚴重的副作用。

另一方面，若某一種細胞激素因外來刺激過量產生，也可能造成疾病，此時的治療策略即可全身或局部的投與抑制性細胞激素、細胞激素抗體、細胞激素受體抗體或拮抗劑，或以抑制細胞激素RNA改變細胞激素基因，惟人體細胞激素的調控系統複雜，牽一髮而動全身，因此效果常不若想像中好，也可能會有意想不到的副作用，以腫瘤壞死因子抑制劑治療類風濕性關節炎，即有例可循。

結論

不同的免疫細胞表現不同的細胞激素受體，在受到刺激後分泌細胞激素，也同時仰賴細胞激素分化成熟，毫無疑問的，細胞激素在細胞間扮演對話的橋樑，而在不同組織的細胞層次主導期間的變化，同時整合由不同系統間發出的訊號，因此進一步了解分子層次的訊息傳遞，將大大提升我們對人體運作的探索，同時提升診斷與治療的精準度，從而嘉惠人體的健康。

23 細胞激素在過敏反應中的角色

朱士傑（國防醫學院醫學系副教授）

細胞激素可調節過敏及發炎反應

細胞激素是一種由各種細胞分泌的蛋白質，到目前為止已發現的細胞激素有三十種以上。細胞激素有許多功能，包括調節過敏及發炎反應。**當免疫系統受到刺激時，當時產生的細胞激素會決定後來的免疫反應是否為過敏反應**。在人體內，免疫系統的T輔助細胞可以分成兩類，**第一型T輔助細胞**主要負責細胞的免疫力，與感染疾病、腫瘤和器官移植等的反應較有關，主要分泌的細胞激素為丙型干擾素及腫瘤壞死因子，但不分泌第四介白質（IL-4）及第五介白質（IL-5）。而**第二型T輔助細胞**主要負責過敏反應，分泌的細胞激素為IL-4、IL-5及IL-9，但不分泌丙型干擾素及腫瘤壞死因子。同時，第一型T輔助細胞和第二型T輔助細胞分泌的細胞激素又會互相影響：第一型T輔助細胞分泌的細胞激素能夠調節第二型T輔助細胞的活性，而第二型T輔助細胞分泌的細胞激素也相對地會抑制第一型T輔助細胞的活性。

基本上，第一型和第二型的T輔助細胞必須維持一個平衡的狀態，才能夠使免疫系統正常運作。過敏就是一種第二型T輔助細胞的活性過高，而引發的免疫系統失調病症，由於原本用來對抗侵襲身體外來物質的抗體，攻擊自身體內的細胞及組織，因而產生過敏疾病。

有過敏體質的人特別容易對過敏原產生**免疫球蛋白E**（immunoglobulin E, IgE）的抗體。產生免疫球蛋白E過敏抗體必須經由T淋巴球和B淋巴球的合作，細胞激素IL-4與IL-13可刺激B淋巴球釋放IgE過敏抗體；而第一型T輔助細胞分泌的丙型干擾素，會使B淋巴球去活化，而減少IgE過敏抗體的產生，來調節抗體產量。

人體內的過敏反應，也多與**嗜伊紅性白血球**細胞的增加有關，細胞激素IL-3、IL-5及顆粒單核球群落刺激生長因子則可以吸引、活化嗜伊紅性白血球，及延長嗜伊紅性白血球的存活時間。而嗜伊紅性白血球釋放出的一些發炎介質則會使過敏症狀更嚴重。肥大細胞在過敏反應中也會增加，而**肥大細胞**的增殖及活化與IL-3、IL-9、IL-10及IL-11有關。

減敏療法可以減輕過敏症狀

治療過敏常用的減敏療法，可使第二型T輔助細胞對過敏原產生耐受性，減少IL-4的產生，並且使T輔助細胞的分化較偏向第一型，而得以減輕過敏症狀。

結語

在了解細胞激素對過敏的重要性之後，研究人員已針對如何調控細胞激素的活性，而發展對抗細胞激素的抗體，做為未來治療過敏的新方法。

24

細胞激素在自體免疫疾病中扮演的角色

蔡長祐（台北榮民總醫院過敏免疫風濕科主治醫師）

細胞激素的定義

「細胞激素」這個名詞是最近幾年才被大量提出的字眼。我們知道「激素」又稱為「荷爾蒙」，是由身體的內分泌系統製造出來的，為了調節身體的各種功能而存在。它們的半衰期（壽命）都很短，達成使命之後，即會被代謝掉。著名的例子諸如：胰島素調節血糖、性腺荷爾蒙調節男女性功能、腦下垂體激素調節生長等等都是。而**「細胞激素」顧名思義，也就是細胞所製造出來，調節細胞功能的激素；易言之，它們可以代表細胞與細胞之間溝通的語言**。由於細胞不會說話，當它們之間需要互助以達成某種生理功能時，即需要分泌各種不同的「細胞激素」，來協調彼此之間的作用，以免互相抵消或衝突。

細胞激素的種類

目前對於細胞激素的分類還相當的歧異，因為種類太多，而且新的細胞激素還不斷地被發現，在本文中無法逐一列舉。其中較為人知且已廣泛應用於臨床醫學上的，大致不出以下幾種：

■甲型腫瘤壞死因子（Tumor Necrosis Factor-α）

通常簡稱為TNF-α。此細胞激素當初發現時是在實驗動物身上，**因其可以促使腫瘤壞死及縮小而得名**，但實際上，TNF-α卻是發炎反應中最重要的一種細胞激素。它之所以能夠造成腫瘤壞死，也是因為身體為了對抗腫瘤，而產生的一種發炎反應。1970年代學者的研究證實，TNF-α在類風濕性關節炎的關節腔破壞作用中，扮演著主角的地位。近幾年來應運而生的，就是對抗TNF-α的種種蛋白質藥物的發明，對於治療類風濕性關節炎有突破性的發展，這類藥物因為結構為蛋白質，無法從腸胃道給藥，通常都以注射方式直接將藥送至發炎患處對抗TNF-α，我們通稱此類治療為「生物製劑療法」。

■介白質

這個名詞的英文原名為interleukin，簡寫為IL，**意思是白血球與白血球之間的媒介物質**，所以將它們翻譯成介白質，也有學者稱它們為「間白質」或「間白素」。因發現的早晚及功能和結構的不同，至今已有超過30種以上的介白質被命名，皆以號碼分類。例如：第一介白質（IL-1），第二介白質（IL-2），第六介白質（IL-6）……等等。就如同上面所提，這些介白質就是各種白血球之間互動的主要媒介。白血球在自體免疫疾病中的角色已廣為人知，所以近幾年來，各種介白質在這些疾病中所擔負的功能或抑制的角色，也如雨後春筍般地被研究出來。

以**類風濕性關節炎**為例，1970年代的研究除了TNF-α之外，也發現IL-1在該病中的角色，幾乎與TNF-α旗鼓相當，所以在發明生物製劑以治療類風濕性關節炎的過程當中，對抗IL-1的蛋白質藥物也曾經被發明出來，而且比抗TNF-α藥物還早，只不過後來使用效果不如抗

TNF-α製劑，而逐漸被淘汰。但是IL-1在很多其他的自體免疫疾病中的角色還未釐清，例如：發炎性腸道炎、僵直性脊椎炎、乾癬等。更具專一性的抗IL-1生物製劑將來還是有可能問世，用以治療自體免疫疾病。

另外，再以**全身性紅斑性狼瘡**為例，較早的動物實驗研究曾經發現，TNF-α、IL-4、IL-6都參與了這個疾病前期的發炎反應，不過當狼瘡疾病發展到一定程度時，又有另外一批細胞（B淋巴球）及其所製造的細胞激素和抗體取代了它們的角色。最值得注意的是，B淋巴球為製造抗體（免疫球蛋白）的主要工廠，但是這些工廠必須接收到各種指令才能製造不同用途（對抗各式各樣外來的病原菌、有毒物質或身體自己所產生的不正常物質或細胞）的抗體，這些不同的指令包括開始製造或停止製造的訊息，多半都以細胞激素的形式存在，是由不同的其他細胞所分泌，包括T淋巴球、巨噬細胞、樹突細胞、多型核白血球、上皮細胞、內皮細胞、內分泌細胞、神經細胞，甚至包括不同品系的B細胞本身。當這些細胞所分泌的細胞激素亂了套，它們之間的協調機制出了問題，就會發生B細胞在該產生抗體的時間地點不產生抗體；相反地，卻在不該產生抗體的時間地點產生了抗體。**這些不該產生的抗體由於無攻擊的對象，轉而攻擊自己的組織及細胞。這就是自體免疫疾病的由來，也是紅斑性狼瘡的最主要特點**。

值得一提的是，紅斑性狼瘡病人看似抗體很多、濃度很高，似乎免疫力過度旺盛，其實恰恰相反，因為他們在該產生抗體對抗外來抗原的時間地點，卻無法產生抗體。因此病人反而容易受到一些常人不易得到的病原菌感染。有時這些不協調的細胞激素還會直接影響到免疫細胞的功能，而造成抵抗力的降低，以及組織的發炎或破壞。最典型的例子就是狼瘡病人因為第八介白質的分泌不正常，而使得其嗜中性白血球的數目不夠及功能降低，以致於對細菌或病毒感染的抵抗力不足。另外，異常的細胞激素也會引起病人的血小板數目下降與功能不足，伴隨而來的是凝血功能的異常。細胞激素也可吸引大量的白血球到腎臟，引起發炎，導致血尿、蛋白尿及腎衰竭。最後，中樞神經系統內的細胞激素（第六介白質）大量升高，可以造成急性神經耗弱、腦壓升高、癲癇甚至腦出血。幾乎可以說，**紅斑性狼瘡所有器官的破壞，皆與各種不同的細胞激素分泌不正常有關**。

近幾年來，針對特定的細胞激素已有科學家發明出拮抗其生物功能的藥物（也是生物製劑），來治療全身性紅斑性狼瘡。這樣的治療方法，將來可望漸漸取代傳統的化學藥物治療方式，而成為自體免疫疾病的主流醫療模式。

■干擾素

這一類激素最早是在病毒感染的病人身上發現的。當病人被病毒感染之後，身體可以產生數種干擾素，**干擾病毒的複製及其破壞宿主的作用**，因此稱為干擾素。後來發現干擾素其實也與免疫系統正常功能的維持具有密切的關係，或者也可以說，干擾素基本上就是免疫系統的一部分。

干擾素主要分為三種：甲型（α）、乙型（β）及丙型（γ）。**細胞性免疫系統中最重要的干擾素是丙型干擾素**（interferon-gamma, IFN-γ），此種干擾素與第十二介白質（IL-12）是身體中維持第一型T輔助細胞功能最重要的兩種細胞激素。很多研究已發現，當此二種細胞激素的分泌減少時，身體對抗外來微生物的抵抗力會明顯下降。此種情形可以發生於惡性腫瘤、全身性紅斑性狼瘡、皮肌炎、多發性肌炎、硬皮病、尿毒症，以及某些類風濕性關節炎病人的身上。除了這些病人大多使用免疫抑制藥物治療的因素之外，在這些疾病的晚期，其本身的致病機制演變，也是導致丙型干擾素及第十二介白質分泌下降的主因之一。因此我們可以經常在這些疾病的末期觀察到各式各樣的伺機性感染，包括：腸內菌、黴菌、原蟲及低致病力的病毒等等。

這些微生物由於其致病力低，一般不會在正常人身上造成傷害，但是對於自體免疫疾病或癌症病人，因為抵抗力很差，它們便會伺機作怪，破壞組織，甚而致命。

結語

以上所舉是醫學上已經相當清楚的細胞激素在自體免疫疾病中所扮演的角色。然而科學的進步是一日千里的，各種新而重要的細胞激素仍在不斷地被發現，譬如：最近逐漸受到重視的第十七介白質（IL-17），已被發現可能與多型核白血球的功能有非常直接的關係，其分泌的下降與多型核白血球這種重要的身體抵抗力因素的不足有關。而多型核白血球幾乎是所有發炎反應中不可或缺的因素。因此，IL-17的降低或被拮抗，直接受到衝擊的，當然就是各類自體免疫疾病的產生及惡化。

另一方面，一種稱為調節性T細胞（Regulatory T cell, Treg）的發現，更使我們對免疫系統的了解有了劃時代的轉變，與此種T細胞有關的各種細胞激素，正在陸陸續續被發現當中，其中有很多種是屬於介白質，隨著這些細胞激素功能的日益被了解，對於我們進一步認識自體免疫疾病，以及進一步妥善治療這些疾病，將會有長足的影響。

25

免疫系統如何辨識敵我？

許秉寧（台大醫學院免疫所教授兼所長）

免疫系統的特色是什麼？

當人體受到外來病原微生物入侵時，最主要的防禦機轉為「免疫系統」。免疫系統就像人體的防衛軍，時時刻刻保衛著我們，防止外敵的入侵。免疫系統的特色為：

- 足以對外來的抗原產生特異性的反應（specific response）。
- 足以對前一次所接觸的外來抗原產生更強烈的免疫反應。
- 可以對先前所接觸的外來抗原保存記憶性，並在再次接觸時產生比前次更強烈的反應（memory）。
- 足以分辨自我及外來抗原的能力。

以上這些特性都是由於具有免疫系統中由胸腺衍生的淋巴細胞，又稱T細胞，以及由骨髓衍生的淋巴細胞，又稱B細胞，所共同造成的特異性免疫反應現象。T及B細胞在細胞表面上都表現出獨自特異性的抗原受體，使得它們對於接觸到的專一性抗原，可產生特異性反應。

T細胞與B細胞如何認識抗原？

長久以來，生物學界對於T細胞究竟是如何認識抗原的疑問，便感到相當好奇。一方面，目前對於抗體與抗原的研究已有相當的了解，但始終不能明瞭的是，T細胞似乎具有同樣或甚至更多的抗原辨識能力。然而它所辨識的方法完全不同於抗體抗原的方式，同時它也不使用任何抗體的基因，來做為抗原辨認的工具。

當**B細胞**遇到其專一性抗原時，將會被刺激而活化，進而增生成株群（clone），並分化成抗體分泌細胞。**T細胞**則在細胞膜表面上表現T細胞抗原受體（T cell receptor, TCR），辨識分別由兩種組織相容複合物體（major histocompatibility complex, MHC），class I及class II分子所呈獻在上面的抗原胜肽（peptide），進而辨識抗原。

T細胞認識的抗原有什麼特性？

T細胞所認識的抗原和抗體所認識的抗原有很大的不同，最重要的特點是抗體可直接與抗原結合而辨識，但T細胞只能認識與MHC分子結合在一起的抗原。亦即它只能認識MHC／抗原這樣的複合物，因此T細胞不能像抗體一樣與可溶性抗原直接結合；而必須與抗原呈獻細胞（antigen presenting cell, APC）接觸，而辨識位於APC細胞表面上與其MHC分子結合的抗原。

組織相容複合物體（MHC）是一種生物個體的身分證，每種生物個體都有不同的MHC分子，可藉以分辨每個不同的個體。另一方面，T細胞只能認識與MHC分子結合在一起的抗原，因此它又是T細胞認識抗原非常重要的分子。由於這重大的差異，導致了T細胞所「見到」的抗原具有以下特性：

- T細胞無法像B細胞一樣可認識大的蛋白，它只能認識小片段的胜肽。
- T細胞只能認識由小片段胜肽所決定之單純的線性抗原決定基，這是由於MHC分子中抗原胜肽只能以伸展的方式結合於狹長的「胜肽結合裂縫」（peptide-binding cleft）中。因此無法像一般蛋白一樣折疊成三度空間的外形，相對的，抗體可直接與已折疊的天然蛋白結合，因此它可認識三度空間性的蛋白外形抗原決定基。

- T細胞只能認識與MHC分子結合的抗原。因此，抗原胜肽必須先與MHC分子結合後，才能表現在細胞的表面，並被T細胞所認識。這種過程稱為「抗原呈獻」（antigen presentation），可做為抗原呈獻的細胞稱為「抗原呈獻細胞」（APC）。

什麼是「MHC限制」？

T細胞在辨識抗原時必須受到MHC的限制。從早期的實驗中即顯示出，T細胞只能被和自己有共同MHC的巨噬細胞或B細胞所活化；同時，它也只能幫助擁有與自己共同MHC的B細胞產生抗體反應。當老鼠受到病毒感染時，可產生一種殺手性T細胞（cytotoxic T cell），它可將受病毒感染的細胞殺死，但不會殺死未受病毒感染的細胞。此種殺手性T細胞可殺死受病毒感染的自我細胞，但卻不會殺死受同種病毒感染的不同MHC型細胞。由於MHC的基因型限制了T細胞辨識抗原的能力，此種現象被稱作「MHC限制」（MHC restriction）。綜合這些研究發現，顯示**「MHC限制」現象是T細胞辨識抗原的一項非常重要的特徵**。

由於不同的MHC分子可與不同的胜肽結合，當T細胞受體遇上適合的MHC分子與其結合的胜肽複合物時，便可以認識此抗原。但是如果同樣的胜肽由不同的MHC分子所呈獻時，部分的T細胞受體無法與MHC分子相符，因此整個MHC-胜肽複合物，便無法與T細胞受體結合，因而也就無法認識此抗原。同樣的，如果是相同的MHC分子，但呈獻不同的胜肽時，T細胞受體的結合面仍與整個MHC-胜肽的外形不合，而無法與此MHC-胜肽複合體結合，因此也無法認出此抗原。由於此MHC的限制，T細胞只能認識由自我的抗原呈獻細胞（APC）所呈獻的抗原。因此，個體的T細胞在成熟的過程中，必須經過一種稱為「**胸腺選擇**」（thymic se1ection）的複雜過程，在胸腺內將合適可與自我MHC分子結合的T細胞選擇出來。這樣始可保障個體內的T細胞皆能辨識由自己的APC所呈獻的抗原。

分泌的細胞激素有什麼作用？

在經過抗原刺激後，T細胞會開始分裂增殖，並產生一些作用功能（effector function），例如可將目標細胞毒殺，或經由分泌一些細胞激素（cytokine）進而調控其他免疫細胞的功能。由這些具抗原特異性的T及B細胞所產生的活化作用，及所分泌的各種細胞激素及分子共同作用，因而造成了在免疫系統中的抗原特異性反應、活化反應、記憶性反應，以及分辨自我與外來分子等各種免疫反應。

T細胞活化時可產生許多不同的功能。由最近的研究中顯示，$CD4^+$T細胞中又可以由所分泌的細胞激素種類再區分成兩種次群：T helper-1（T_H1）細胞及T helper-2（T_H2）細胞。**T_H1細胞**主要分泌的是IL-2及interferon-γ（IFN-γ），它主要的功能是引起延遲型過敏反應（DTH）、細胞毒性（cytotoxicity）及細胞性免疫反應。而**T_H2細胞**主要分泌的是IL-4及IL-5，它主要的作用為協助產生抗體、IgE及體液性免疫反應功能。$CD8^+$T細胞最主要的功能為參與對抗細胞內病原，例如病毒及其他胞內寄生性微生物所引起的感染。除此之外，$CD8^+$T細胞也可以產生許多種細胞激素，例如IL-2、IFN-γ以及TNF-α等。

Note

Part 4

【免疫的診斷用藥篇】

26

常用的抗組織胺

治療過敏的首選藥物

張曉寧（台北榮民總醫院過敏免疫風濕科主治醫師）

前言

組織胺是由身體內肥大細胞及嗜鹼性白血球釋放出來的，主導許多過敏疾病的發病症狀，例如過敏性鼻炎、氣喘、蕁麻疹、過敏性休克等，所以對付這許多不同的病，發明對抗組織胺的藥物，是衆所努力的目標。經過過去三十年的研究，得知組織胺可作用於身體上四種不同的受體（receptor），即H_1、H_2、H_3、H_4，而其中與過敏疾病相關的，大多數是作用在H_1及H_2受體（如表1）。

抗組織胺常分為舊有的或稱為第一代抗組織胺，及新的第二代抗組織胺，最主要的不同是對中樞神經系統的影響，如鎮靜及其他副作用。**第一代抗組織胺**有強度親脂性，很容易穿透到中樞神經系統，引起鎮靜作用。有些可利用此藥理作用來治療病患之失眠及夜間發作之嚴重過敏，尤其是小孩。但對於日間要活動開車的病患，則很不適合。對喝酒者或其他服用中樞神經抑制藥者，會增加對中樞神經的影響，例如「似膽鹼素作用」（atropine like effect，即類似副交感神經的作用）、甲型交感神經（alfa adrenergic）及抗憂鬱作用等。**第二代抗組織胺**就大幅減少對中樞神經

● Cetirizine/Zyrtec 10mg F.C

表1： 組織胺作用之目標器官及受體

目標器官	作用	受體
呼吸道：平滑肌	收縮	H_1
氣管上皮	通透性增加	H_1
氣管內分泌腺體	增加醣蛋白分泌	H_1、H_2
	其他物之分泌	H_1
血　管：微血管	擴張	H_1
	通透性增加	H_1
神　經：感覺神經	增加刺激	H_1
中樞神經	增強控刺	H_3
鼻	流鼻涕	H_1
	鼻夾腫脹	H_1
白血球	增生	H_2、H_4
	*趨動性增加	

註*：「趨動性」即白血球會自主性移動。

的作用，甚至有些劑量調到完全沒有鎮靜作用，可治療鼻炎及蕁麻疹。勝克敏液（Cetirizine）可治療小孩之異位性皮膚炎，亦兼有抗發炎作用，氣喘會減輕，皮膚症狀也會轉好。

臨床作用機轉各不相同

H_1抗組織胺並不是對受體有直接對抗作用，而是影響組織胺受體的活動性及靜止性。正常狀態下這兩者呈平衡狀態，但若是身體內過敏細胞釋放出組織胺，則會使受體偏向活動性的一邊，而使用抗組織胺，則可使平衡再現。組織胺刺激H_1受體產生癢、痛、血管通透性增加、血管擴張、血壓下降、臉潮紅、心跳加快、氣管緊縮、頭痛、咳嗽等等。這些症狀，大多數都是經由H_1受體，少部分為H_1、H_2兩種受體同時受到刺激。

組織胺亦可影響體內免疫機制朝向過敏性的發炎反應方向進行。對於中樞神經之影響，由H_1接受體反應在睡眠、食慾、體溫調節、脾氣、極端行為之出現、方向感之記憶及學習。**第一代抗組織胺吃進去之後，很快就進入腦部，占據了50%至90%的腦H_1受體，引起鎮靜作用。第二代抗組織胺則很少進入腦部**。艾來錠（Allegra）為0%。驅特異（Zyrtec）可從10%到30%，所以鎮靜作用不大，不影響開車。目前常用之**第二代H_1抗組織胺**有停敏錠（Denosin）、艾來錠（Allegra）、納寧（Clarityne）、驅異樂（Xyzal）。作用於H_1受體的抗組織胺很少發生對心臟方面之毒性，從前有兩種第二代抗組織胺阿斯特米挫（astemizole）及特芬那定（terfenadine），現在已經停用，因為會延長

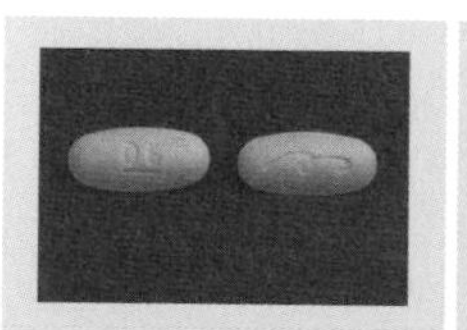

● Allegra 60mg tab

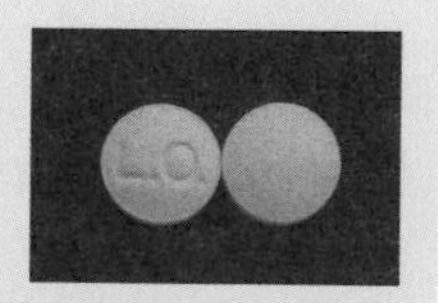

● Denosin 5mg tab

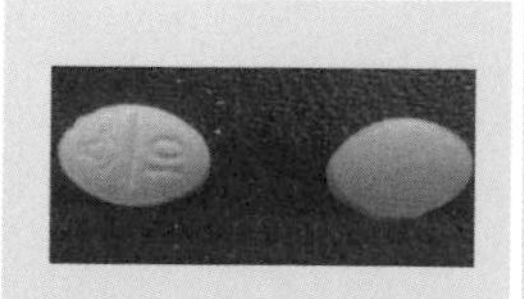

● Clarityne 10 mg tab

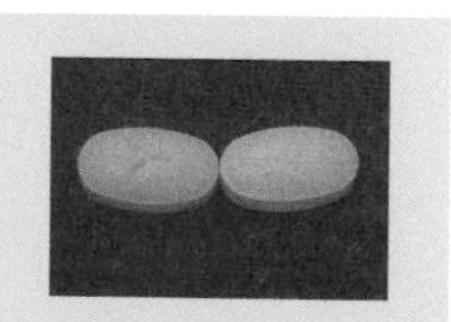

● Xyzal FC tab 5mg

心臟房室傳導的時間。目前所使用的第二代抗組織胺都是新產品，沒有這種問題。

第一代的抗組織胺化學結構通常相似，只有「取代基」（即化學結構分子的末端被另一物所取代，藉以增強或改變其作用）的不同，可分成下列幾類：

- 乙醇胺（ethanolamine，藥品名稱豐樂敏[Benadryl]）這一類的取代基為氧，有較強的中樞神經作用，對腸胃方面影響弱，止癢效果強，亦可用來當暈車藥、止吐及治療巴金森氏症，對過敏腫脹的皮膚，可消腫，亦有局部麻醉的效果。

Benadryl

- 烷胺（alkylamine[CTM]）這一類的取代基為碳，對中樞神經的刺激作用大於抑制作用，止癢效果快速，對鼻部過敏、流鼻水、鼻塞效果好。

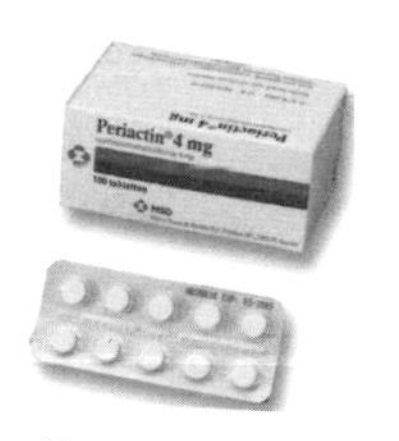

Periactin

- 哌啶（piperidine）這一類的取代基為氮，常用商品為安清敏（Periactin）除了有H_1抗組織胺之作用外，對抗血清素接受體（serotonin）也會有作用，對於嚴重過敏者，多一種抗血清素的作用，能夠更加增強效果，但它有促進食慾的作用。
- 第四類為**Phenothiazines**，其取代基為氮，除對止癢及鼻炎的症狀有效外，亦可用於血管性水腫、動暈症（註）。此外，也可用於麻醉前給藥，

（註）

什麼是「動暈症」？

因為「動」而產生「暈」的症狀。像是過度的擺動、晃動、轉動及變速運動，導致內耳前庭平衡功能紊亂，無法分辨方向，而產生頭暈、反胃、噁心、嘔吐、疲憊、冒冷汗、臉色發白等症狀。

精神病用藥所引起的錐體外反應、及巴金森氏症和人工冬眠。

- 第五類為羥嗪（hydroxyzine，藥品名稱得慮安錠[Atarax]），取代基亦為氮，作用時間可長達72小時，除抗過敏外，可用來當鎮靜、抗憂鬱、止吐劑。

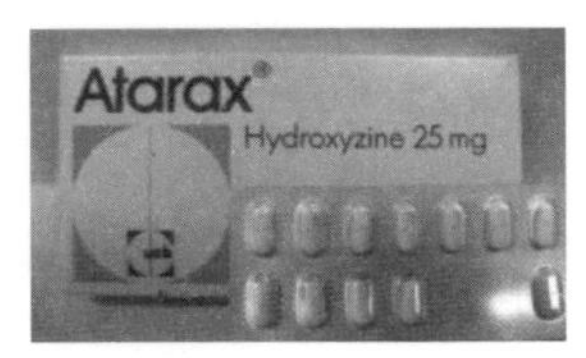

● Atarax

這五類抗組織胺各有不同方面的作用，可以合併使用，不相衝突，有加成的效果。雖然健保不許這些第一代抗組織胺各類合併使用，但遇到嚴重過敏的病人，只用一類是不夠的，可兩類、三類合併使用，有些甚至加上H_2抗組織胺才能控制，文獻報告H_1加H_2會有更好的效果。**第一代的H_1抗組織胺**效果快，在1至3個小時內就可看出效果，但療效也會很快消失，只有得慮安錠及安清敏效果較長。**第二代的H_1抗組織胺**，效果都屬長效型。除了驅異樂、驅特異、艾來錠是從尿中及糞便排泄外，其他抗組織胺多從肝臟代謝，與肝內色細胞P450系統有關。如果肝臟功能不好，或吃些阻礙肝臟代謝系統的藥物，例如抗黴菌藥或紅黴素，則排泄變慢，藥物累積，會引起嚴重的心臟及中樞神經症狀。

過敏性鼻炎患者可搭配H_1抗組織胺之第一代，加第二代產品合併使用，效果不錯，唯一缺點是鼻塞的現象不易解除。另有一種抗過敏藥咽達永樂（cromolyn），可用來噴鼻，效果不錯，但當然不如噴類固醇來得更有效。現在有白三烯素受體拮抗劑，對**鼻炎及氣喘**都有更好的效果。**慢性氣喘**並不建議使用抗組織胺，因為會使氣管內膜分泌減少，使痰變得更濃稠，黏在氣管壁上，更咳不出。抗組織胺和其他藥物複方使用的方式一直都有，例如樂得克錠（Rotec）及康瑞斯錠（Clarinase）都是第一代或第二代的抗組織胺加假麻黃素合起來的複方。使用複方是因為抗組織胺不能改善鼻阻塞，而且有些鎮靜作用，使用假麻黃素剛好彌補這些缺點，可使鼻腫消失及對抗鎮靜。

可能出現的副作用

第一代的抗組織胺有很明顯的中樞神經症狀，包括嗜睡、開車危險、累、頭昏、口乾、小便不出、腸胃不適，有些會促進食慾。吃了一陣子之後可能會較習慣，副作用不會太明顯，但還是有一些。哺育母乳的母親吃了再餵奶的話，嬰兒也會有症狀。有攝護腺肥大的患者吃了就尿不出來。另外，有些人服用之後並不會有鎮靜作用，反而是睡不著，又很累，這是因為中樞刺激的作用，而且會導致心跳加快，甚至心律不整，劑量稍大會使心臟傳導之QT間隙（心電圖之QT interval）延長。

前述的兩種**第二代抗組織胺**（astemizole及terfenadine）之所以停用，就是因為會引起嚴重的心律不整。懷孕的婦女若使用驅特異、納寧及依美斯汀（emedastine），一般認為是安全的，美國食品藥物管理局（FDA）認為這些是屬於不傷害胎兒之B類。對於有青光眼、癲癇、胃潰瘍、幽門狹窄患者，都要小心使用。

另有一種稱為**肥胖細胞穩定劑**，也具有抗組織胺的作用，其中的酮替芬（ketotifen）可用來治療氣喘及鼻炎，曾經風行一時，但效果輕微，只能作輔助藥。另一種cromolyn也是肥胖細胞穩定劑，是英國發明的藥，幾乎沒有任何副作用，可治療鼻炎、氣喘、結膜炎，但缺點是只能外用，口服就會被胃酸破壞。目前還使用在眼藥水、噴鼻劑及吸入性氣喘藥。

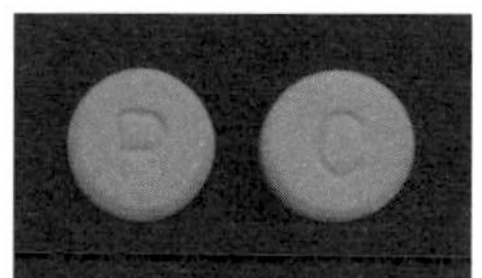

● Ketotifen

結語

抗組織胺之發明日新月異，愈做愈好，使用劑型也更方便，副作用也愈來愈少。雖然不能完全滿足日益增加的過敏病人，因為過敏細胞所釋放出的物質不只組織胺一種而已，但仍然為治療過敏的首選藥物。因此要熟悉各種組織胺之作用及副作用，適當地用在各種不同的過敏病患身上。

27 益生菌在過敏疾病中扮演的角色

姚宗杰（林口長庚醫院兒童過敏氣喘風濕科主治醫師）

前言

您知道嗎？人體腸道內寄生著將近五百種細菌，這些細菌總數可達人體全身細胞總數的十倍。腸道內細菌可約略分為「益菌」與「害菌」，或是俗稱的「好菌」與「壞菌」。益菌和害菌在人體腸道內呈現互相抗衡的狀態，當腸道內**益菌**多時，可以抑制害菌的生長，保持腸道健康。反之，當**害菌**數量多於益菌時，就可能引發疾病。

雖然人類利用乳酸菌製造如優酪乳、乳酪、泡菜等發酵食品，已有數千年歷史。但直到二十世紀初，科學家才發現乳酸菌不但能增加乳製品的風味，許多乳酸菌還有助於人體的健康，因此這些有助於人體健康的乳酸菌又被稱為「益生菌」或「有益菌」。人稱「益生菌之父」的蘇俄免疫學大師梅契尼科夫（Elie Metchnikoff），是第一位提倡多食用乳酸菌有益於身體健康的科學家。距今一百年前，他注意到東歐保加利亞地區的一些長壽部落，當地人經常食用一種發酵的酸奶。於是他加以研究，發現酸奶中含有各種乳酸菌。他從微生物相互拮抗的觀點，認為人類如果經常食用乳酸菌，則乳酸菌在腸道中可以抑制病原菌的活性，因而促進人體健康。

近年來台灣吹起一股益生菌熱潮，市面上益生菌產品琳瑯滿目，許多益生菌廣告更標榜治療過敏的神奇功效，似乎只要吃了益生菌，所有過敏病都會不藥而癒，而且百分之百安全，不會有任何副作用。在報章媒體及部分醫療專業人員的推波助瀾下，網路上討論得沸沸揚揚，蔚為一股風潮。身為兒童過敏專科醫師，總是不斷面對家長詢問：「我的小孩有過敏，該吃益生菌嗎？」事實上，益生菌果真有如此神效，能夠有效預防或治療過敏病嗎？

益生菌對預防或治療過敏疾病的功效仍屬研究階段

過敏病的產生與遺傳有很大關係，如果夫妻雙方有人有過敏體質，或曾生出過敏兒，那下一胎寶寶就有極高的比例會過敏。俗話說預防勝於治療，因此曾有芬蘭學者針對這些有家族過敏史的孕婦進行研究，讓孕婦在生產前二到四週服用LGG乳酸菌，接著寶寶出生後，哺餵母乳者由母親繼續吃，餵食配方奶者則寶寶自己吃，持續至寶寶六個月大為止。研究結果發現，可降低50%寶寶罹患異位性皮膚炎的機會，這個轟動一時的研究發表在2001年著名的醫學期刊《刺胳針》（*Lancet*），引起醫學界的注意與廣泛討論。許多人因此大力提倡益生菌預防過敏病的功效。值得注意的是，常見的過敏病除了異位性皮膚炎之外，還包含過敏性鼻炎與氣喘病。許多人忽略了這個著名的芬蘭研究在2007年發表的追蹤報告顯示，這些使用LGG乳酸菌的兒童追蹤至7歲後，得到異位性皮膚炎的比例的確是降低了三分之一，但是得到氣喘的機率卻增加三倍，得到過敏性鼻炎的機率也增加兩倍。近年來全世界一共有八個類似的研究，但結果並不一致，雖然有數個研究支持某些特定益生菌可能預防有家族過敏史的高危險群新生兒得到異位性皮膚炎，卻也有部份研究顯示，益生菌預防異位性皮膚炎的效果不彰。反倒是所有研究皆一致顯示，孕婦或新生兒服用益生菌無法有效減少過敏體質。令人擔心的是，有三個研究不約而同指出，孕婦或新生兒服用益生菌後，得到氣喘病或喘鳴等疑似氣喘症狀的機會變高，增加幅度約二至三倍不等。也就是說，依據目前有限的人體臨床試驗結果，孕婦或新生兒服用益生菌，雖然可能得以預防異位性皮膚炎，但卻可能反而增加呼吸道過敏如氣喘或過敏性鼻炎的風險，是否值得嘗試仍有待醫學界與父母親三思而後行。按照實證醫學的觀點，目前並不建議孕婦或新生兒服用益生菌來預防過敏疾病的產生。

至於益生菌對於已經產生的過敏病，是否有治療的功效呢？目前全世界僅有三篇人體臨床試驗針對氣喘病做研究，結果顯示益生菌對改善氣喘病臨床症狀無任何功效。而益生菌是否能治療過敏性鼻炎，目前研究仍不夠多，而且結果相當分歧。因此目前醫界對益生菌在過敏性鼻炎的療效方面，仍抱持質疑的態度。至於益生菌是否能治療異位性皮膚炎，雖然約有半數人體臨床試驗顯示益生菌有所幫助，但臨床效果不大。反倒是許多研究發現，皮膚保濕、類固醇藥膏，以及避開過敏食物等正統治療方式，就能夠有效改善異位性皮膚炎的症狀，而搭配益生菌的效果似乎僅是加快病情改善速度而已。加上最近幾年探討益生菌在異位性皮膚炎療效上的最新研究，結論都是沒效的居多。因此，益生菌在異位性皮膚炎的角色，目前仍屬研究階段，醫界還沒有定論。

市面上常見的益生菌迷思

最近幾年，含益生菌的保健食品在市場上相當暢銷，不少家長花大錢買益生菌給小孩服用，網路上有關益生菌的討論更是沸沸揚揚。但少數益生菌產品透過誇大的廣告或坊間耳語過度吹噓療效，似乎能醫治百病。針對市面上普遍存在許多益生菌的迷思，需要在此釐清。

■「益生菌」被過度濫用

首先，「益生菌」這個名詞被過度濫用，許多含有乳酸菌的產品紛紛自稱益生菌。導致民眾誤以為所有乳酸菌都是益生菌，認為既然名叫益生菌，就表示對人體健康有益無害。為避免「益生菌」一詞被濫用，世界衛生組織WHO將「益生菌」定義為：「當進食足夠分量時，對人體健康有益處的活微生物。」，並訂立了多項嚴格的標準。也就是說，**不是所有乳酸菌都能隨便自稱益生菌，除非經過嚴格的科學驗證，證實對人體健康有益處**。事實上，許多市面上自稱是益生菌的保健產品，根本不符合此一標準。

■忽略了功效有特異性

再者，大家常忽略了益生菌的功效有其特異性。

首先是**菌種特異性**，也就是研究證實A菌具有的保健功效，不代表其他乳酸菌也具有相同功效。市面上不乏廠商借用國外研究LGG乳酸菌的研究報告來佐證其產品功效，但其產品中卻無LGG乳酸菌，恐有魚目混珠之嫌。此外，國內益生菌產品普遍宣稱含有多種菌種，但是不是菌種愈多愈好呢？其實答案不然，甚至可能恰巧相反。許多研究清楚顯示，有時候單一菌種有效，加了其他菌種反而沒效。可能是因為不同菌種之間相互競爭，反而抵銷了各自的功效。就如同三個和尚沒水喝的道理一樣，菌種也不是愈多愈好。依據世界衛生組織的規定，含有多種菌種的乳酸菌產品必須重新進行人體臨床試驗，不能隨便聲稱具有內含個別菌種的所有功效。

其次是**疾病特異性**，許多人常將各種過敏病全部混為一談，看到一篇益生菌有助於改善異位性皮膚炎的研究報告，就無限上綱成益生菌可以改善過敏體質，進一步衍申為能治好氣喘、鼻過敏等各種過敏病。即使是國外研究最透徹的LGG乳酸菌，儘管對異位性皮膚炎可能有些許幫助，對過敏性鼻炎和氣喘可是一點用處都沒有，顯示益生菌的功效是有疾病特異性的。

研究發現，益生菌的功效還具有**宿主特異性**。動物實驗結果雖然有助於找出可能有益的乳酸菌種，但不代表在人體之中一定會有效，除非人體臨床試驗證實其療效。

■功效被過度吹捧

另一個值得注意的現象是，**廠商與部分醫療專業人員常常過度吹捧少數宣稱益生菌有效的一兩篇研究報告，有意無意間忽略了報導益生菌無效的研究報告**，對一般社會大衆形成不平衡報導。醫學歷史告訴我們，面對一項新療法，必須客觀地全盤審視正反兩面意見，不宜依賴少數小規模的研究報告，就貿然改變醫療行為。

■忽略了可能的危險性

最後要特別提醒的是，千萬不要以為益生菌安全性高，就忽略了可能的危險性。特別是**近年來才研發上市的菌種及產品，安全性仍有待長期評估**。尤其近年來全世界傳出數起服用益生菌導致敗血症，甚至致人死亡的案例，值得注意。

另一個令醫學界擔心的是，**益生菌的過度使用，可能成為孕育「超級病菌」的新溫床**。由於許多乳酸菌對抗生素具有多重抗藥性，透過與病原菌的共同生活、接觸，很可能將自身攜帶的抗藥性基因傳遞給病原菌，使之獲得抗藥性而成為「超級病菌」，導致受到感染時可能無藥可醫。

其他可能的副作用，還包括影響醣類與脂肪的代謝功能，以及免疫功能失調等等。

所有想要使用益生菌的消費者，尤其是孕婦和幼兒，特別是想要長期服用的話，應該被清楚告知這些可能潛在的風險。

益生菌療效有待商榷，正統治療不可偏廢

益生菌運用於過敏疾病的防治，雖然理論上可行，但目前仍處於

研究階段，其確實角色還有待釐清。希望將來有一天，益生菌被證實能有效而且安全地防治過敏病，屆時或許過敏兒可以天天喝優酪乳而不需要吃藥。但依據現有實證醫學觀點來看，目前並不建議使用益生菌來預防或治療過敏疾病。家長不要輕信坊間廣告，以免花了大錢又不見得有幫助。

時至今日許多民眾心中仍有「西藥恐懼症」，對西藥有不必要的過度誤解，其中最主要的因素，不外乎老一輩總是口耳相傳西藥的副作用會傷腎、傷肝、長不大等等。其實近一、二十年來現代醫學的進步可說一日千里，新一代抗過敏藥物不但經過嚴謹的人體臨床試驗，可以有效治好過敏，而且副作用極少。遵照過敏免疫專科醫師的指示使用藥物，其實相當安全，毋須過度擔心。大可不必辛苦地尋找另類治療，以免到頭來浪費大把鈔票不打緊，若是延誤了治療的黃金時機，可就得不償失囉！

28 自體免疫疾病是如何發生的？

蔡智能（嘉義聖馬爾定醫院過敏免疫風濕科主治醫師）
劉明煇（成功大學醫院內科教授兼附設醫院過敏免疫風濕科主任）

前言

免疫系統就如同一個國家的軍隊，用來抵禦外來敵人（病原）的入侵。但有時，其調節機制出了問題，卻反而攻擊自身的組織或器官，而引發所謂的「自體免疫疾病」（autoimmune diseases）。自體免疫疾病的範疇可從單一器官的疾病，如橋本氏甲狀腺炎（Hashimoto's thyroiditis），到廣泛的全身性疾病，如全身性紅斑狼瘡（systemic lupus erythematosus）。這些自體免疫疾病的病理變化特徵，是在發炎的組織或器官可見到大量淋巴球的異常侵潤；在患者血中亦可偵測到自體抗體（autoantibody）的存在。本文將簡單介紹免疫系統的自身耐受性（self-tolerance），自體免疫疾病發生的可能機轉，及臨床上常見的自體免疫疾病。

免疫系統的自身耐受性

正常的免疫系統能辨識自己，而對自己的分子物質不發生免疫反應，這便是所謂的「自身耐受性」。免疫系統的主力細胞淋巴球，分為由胸腺（thymus）衍生的T細胞，及由骨髓（bone marrow）衍生的B

細胞。一般免疫反應是由體內抗原呈獻細胞，藉著其表面的組織相容複合體與外來或自己的抗原結合，再與T細胞結合，而引發後續的反應。

T細胞負責的是細胞性免疫（cellular immunity），以產生各種細胞激素（cytokine）及轉變成具毒殺性的T細胞來執行作用。而**B細胞**負責的是體液性免疫（humoral immunity），以產生抗原特異性的抗體來結合抗原，而達到中和或排除抗原的作用。

免疫系統為避免攻擊自己，在T細胞與B細胞成熟的過程中，會產生自身的耐受性。T細胞產生耐受性的機轉，包括在胸腺中能與自己的抗原強烈結合的大部分T細胞，會經由所謂的「負選擇」（negative selection）機制而死亡。至於少量離開胸腺而能自體反應的T細胞，也因完整的免疫反應條件不足，而處於不活化狀態。

另外，T細胞中有一群調節性T細胞，對免疫反應亦有抑制作用。至於B細胞，其功能大多需要T細胞的協助才能發揮，所以B細胞的自身耐受性，一部分可用T細胞的耐受性來解釋，另外，能與自身抗原結合的B細胞在骨髓發育或成熟過程，亦會經由負選擇的機制而死亡。

自體免疫疾病發生的機轉

如上所述，絕大部分會辨識自身抗原的T細胞與B細胞，會在發展的過程中遭到除去的命運，然而還是有少數能辨識自身抗原的淋巴球存活下來。至於自體免疫疾病發生的免疫學上之機轉，包括：

- 與自體抗原結合力較低的T細胞，被與自體抗原相似的外來抗原（molecular mimicry）激發之後，而提高其與自體抗原的結合力。
- 有些外來抗原可不經過T細胞的協助，而逕自引發B細胞的反應，產生自體抗體（polyclonal B cell activation）。
- 有些細胞表面會表現出不適當的組織相容複合體，來呈獻自身抗原，而引發自體免疫反應。

- 調節性T細胞、荷爾蒙等異常，以致無法產生正常情況下，應該抑制自體免疫的反應。
- 有些容易被自體免疫反應攻擊的器官本身，即有自體的缺陷，以致容易引發自體免疫的反應。

經由上述可能的機轉，人體的免疫系統會失去原來的自身耐受性，對自己發生不該有的免疫反應，而產生毒殺性T細胞或致病性的自體抗體，因而導致臨床自體免疫疾病。

免疫系統一旦失去了最基本的自身耐受性，便可能出現臨床病症，引起所謂的自體免疫疾病，造成組織或器官的傷害。這些自體免疫疾病，大致上可分為**抗體主導**（antibody-mediated）及**細胞主導**（cell-mediated）兩大類。抗體可藉由許多作用機轉而致病，其中包括：

- 刺激或阻斷受體（receptors），造成細胞功能過度表現或喪失功能。
- 激活補體系統（complement），造成細胞破裂死亡。
- 與抗原形成免疫複合體後，沉澱於組織器官，造成發炎反應。

另外，抗體直接黏在細胞表面經由調理作用（opsonization），可加速其被吞噬細胞的分解，至於細胞主導的致病機制，包括毒殺T細胞（cytotoxic T cells）直接攻擊組織細胞，或分泌發炎性的細胞激素，造成一連串的發炎反應。

常見的自體免疫疾病

嚴格說來，真正的自體免疫疾病必須能從病患身上找出致病的自體抗原、自體抗體或自體反應的T細胞，而且這些自體抗體或細胞打入健康者身上，能產生類似之臨床症狀，方能符合自體免疫疾病之完美定義。然而實際之臨床醫學層面，許多被歸類為自體免疫的疾病，並無法滿足上述之嚴苛檢驗標準。

目前最常根據做為自體免疫疾病之歸類基礎的，是病人血中可偵測到自體抗體，病灶處有許多淋巴細胞之浸潤，加上無其他原因可以解釋，且使用免疫抑制劑治療可獲致良好的療效。

自體免疫疾病在臨床上大致可分成器官特異性（organ-specific）及全身性（systemic）之自體免疫疾病。**器官特異性**乃指僅侵犯某特定器官為主的疾病，常見的包括：甲狀腺疾病如橋本氏症及葛瑞夫茲氏症（Graves’disease）、第一型糖尿病、溶血性貧血、血小板低下紫斑症、白斑症（vitiligo）、重症肌無力症（myasthenia gravis）、多發性硬化症（multiple sclerosis）、惡性貧血（pernicious anemia）、天皰瘡（pemphigus）等……。至於**全身性**自體免疫疾病，則可侵犯多種組織及器官，造成嚴重的器官衰竭，甚或喪失寶貴生命，較為常見的包括全身性紅斑狼瘡症、多發性肌炎或皮肌炎、全身性硬皮症、修格連氏乾躁症（Sjogren's syndrome）及類風濕性關節炎。其中以全身性紅斑狼瘡症最具代表性，它可侵犯之器官包括：腎臟、關節、中樞神經系統、心肺及血管。在病人血中可偵測到許多不同種類之自體抗體的存在。

結語

自體免疫疾病是一群因免疫系統失去自身耐受性，而對自己發生不正常的免疫反應，導致器官組織受侵犯傷害的發炎性疾病。**一般而言，好發於年輕女性，發病的真正原因，尚不清楚，遺傳基因及不明之環境因素皆扮演重要的致病角色。一旦發病，病程時好時壞，不易治癒。**

器官特異性之自體免疫疾病預後良好，但全身性之自體免疫疾病則屬於嚴重疾病。全身性自體免疫疾病常使用類固醇或其他免疫抑制藥來治療。這群疾病的特徵是血中可偵測到抗核抗體的存在，且同一疾病輕重度差異極大。嚴重者可能失去生命，輕微者甚至不用服用任何藥物，生活如正常人。這群疾病不是感染症，因此不會傳染，也不是絕症，可藉由藥物的治療而獲致良好的病情控制。因遺傳下一代的機率甚低，因此可結婚生子。唯懷孕的適當時機最好在病情好轉後的緩解期。

29

淺談全身性紅斑狼瘡

病情變化多端，宛若千面女郎的蝴蝶病

陳得源（台中榮民總醫院免疫風濕科主任）
藍忠亮（台中榮民總醫院副院長）

前言

全身性紅斑狼瘡（systemic lupus erythematosus, SLE），在國內又被稱為「蝴蝶病」或「思樂醫」，是國人好發的自體免疫疾病。最常見的發病年齡是15至25歲，且絕大多數是年輕女性，但男性、老人及孩童也都有可能得病。

SLE病變幾乎可遍及全身各器官，症狀不易捉摸，若不注意，常會耽誤病情而延誤治療時機。SLE的真正病因仍不清楚，但目前醫界已知免疫調節異常、遺傳、荷爾蒙、病毒感染及環境因素等，都可能造成病症。

因為SLE的臨床症狀千變萬化，各科醫師皆有可能診治SLE病人，因此醫師之警覺性和病友對本病臨床症狀之認識，對SLE之早期診斷和治療極為重要。

全身性紅斑狼瘡的症狀

■SLE與皮膚黏膜

SLE皮膚病徵有急性、亞急性及慢性之分。**急性**表徵如蝴蝶斑或水泡狀病變。**亞急性**病徵有丘鱗狀之病灶，類似乾癬或呈現多環形。**慢性**之皮膚病變有盤形紅斑。SLE病患約有30%至50%會有光敏感，須注意防曬，以免皮膚病灶或全身症狀加劇。雷諾氏現象（Raynaud's phenomenon）為手指、腳趾之陣發性血管收縮，而引起手指、腳趾末端之發白、發紫，因此須注意保暖。

■SLE和眼睛

SLE病患常合併乾眼症，須適當治療，以防角膜潰瘍或感染。**任何SLE病患之視力減退皆應視為嚴重問題**，積極尋找原因，以便能早期治療。SLE病患之眼睛病變，可能導致失明者有青光眼、中央視網膜動脈阻塞、中央視網膜靜脈栓塞，及視神經炎，而未使用氯奎寧（氯奎寧具有免疫調節的療效，常用於SLE的治療）之病患有時也會發生黃斑病變，皆須及時發現與治療，否則預後較差。

■SLE之骨骼、關節、肌肉症狀

SLE病患約有一半以上會有關節痛或關節炎，因此先被診斷為類風濕性關節炎，之後才診斷為SLE的也屢見不鮮。更有些SLE病患會有慢性關節炎造成手部變形，如同類風濕關節炎之變形。約有5%至11%的病患會有肌肉炎，常以四肢近端肌肉之無力為主，在梳髮、抬舉物品、爬樓梯，或由蹲姿站起時會有困難。

■SLE和心臟及血管病變

SLE病患約14%至36%會因心包膜炎、心包膜積水，或心肌病變，造成心臟擴大，5%至17%會有衰竭。心內膜炎與抗磷脂抗體之存在可能有關，此病變會引起急性僧帽瓣閉鎖不全及細菌感染，因此這類SLE病患接受拔牙等手術時，須使用抗生素預防感染。

SLE病患14%至46%在病程中會出現高血壓，而高血壓常和腎臟炎有關。年輕SLE病患若有高血壓、抗磷脂抗體及腎病症候群，加上長期使用類固醇，較易產生早發性動脈硬化及冠狀動脈病變，須早期發現與治療。

■SLE和肺臟

SLE病患32%至50%會有肋膜炎，可能引起肋膜腔積水。當病人有氣促及肺部X光顯示浸潤時，須注意細菌性肺炎、狼瘡肺炎、纖維化肺泡炎、肺泡出血及肺梗塞，或肺水腫之可能性，其鑑別診斷有時相當困難，及早就醫極為重要。部分SLE病患會有肺動脈高血壓，目前已有新藥可供治療，若早期診療，其預後將可獲得改善。

■SLE之腸胃道症狀

SLE之急性腹痛是很重要的鑑別診斷課題。假性幽門阻塞其症狀類同幽門阻塞，會發生嚴重腹脹及嘔吐。有些SLE病患會有慢性腹瀉，此時須注意是否有感染性腸炎，尤其是沙門桿菌感染。一般而言，SLE所引起之腸胃病變，以較大劑量之類固醇治療後，常在一、二天內症狀改善，但若症狀持續兩日以上，須注意有無外科狀況或其他腹內感染。

■SLE和泌尿道

SLE所引起之間質性膀胱炎，易有頻尿及尿急之症狀，慢性狼瘡膀胱炎有時可造成輸尿管水腫或腎盂積水，甚或繼發尿道或腎盂結石。此類病患臨床上可伴有腹部疼痛、腹瀉等腸道症狀。

■SLE和腎臟

幾乎所有SLE病患都會有不等程度之腎臟病變，有時尿液常規檢查正常，但腎臟組織切片，卻可在免疫螢光或電子顯微鏡檢查下發現異常。在臨床上約有38%至65%之SLE病人有腎炎現象。重度的狼瘡腎炎可表現為腎功能快速衰竭。血壓、血清肌氨酸酐、二十四小時蛋白尿、血清白蛋白和尿液沉渣鏡檢，在狼瘡腎炎之治療上頗具參考價值。活動性之狼瘡腎炎常伴有血清補體C_3值降低和雙縷DNA抗體升高，但也會有不少例外。最近的研究發現血清抗核小體（anti-nucleosome）抗體濃度與狼瘡腎炎之活動度有關。

■SLE與神經病變

SLE神經病變所呈現的症狀相當複雜，可為單純的神經精神症狀，也可以是混合的精神神經症狀。SLE之神經症狀中可分為中樞神經病變，及周圍神經病變的症狀。其**中樞神經症狀**，像是抽搐、昏迷、腦血管栓塞、出血、血管炎引起之類似「中風」、認知功能異常、或顱神經、腦脊髓障礙來表現。**周圍神經病變**可引起多發性單神經炎，造成運動或感覺障礙。精神症狀相當廣泛複雜，幾乎精神疾病之任何表徵皆可能出現。這些神經精神病變應及早確立診斷並給予積極治療，以減低後遺症。

■SLE之紅血球、白血球及血小板

SLE病患約有一半可見到貧血症狀，部分病人可產生自體免疫溶血性貧血。白血球降低在疾病活動期常會發生，但有時藥物也可造成血球降低。淋巴球減少，通常代表疾病仍在活動。約有三分之一的病人會有血小板數減少的情況，其中有5%會產生厲害的出血症狀。臨床上可見到被診斷為「原發性血小板減少性紫斑症」（ITP）之病患，在數月至數年內，轉變成SLE，我們發現有高效價（大於1：640）的抗核抗體，尤其是有SSA抗體的病人須特別注意轉變成SLE之可能性。

■藥物引起之紅斑狼瘡

有些藥物會引起紅斑狼瘡，藥物性紅斑狼瘡之臨床特色為症狀突然發生，常見發燒、肌肉痛、關節痛、肋膜腔積水、肋膜炎或心包炎。症狀常在停藥後數週內消失。**國內臨床最常見引起此症之藥物為抗結核藥物**。

全身性紅斑狼瘡之診斷

SLE的症狀往往因人而異，最值得注意的是下述十一項：

- 臉上出現蝴蝶狀紅斑；
- 光敏感；
- 口腔潰瘍；
- 盤狀丘疹；
- 漿膜炎（肋膜炎、心包膜炎、腹水）；
- 關節痛或關節炎；
- 腎臟異常；
- 神經異常；
- 血液異常；
- 免疫異常（如DNA抗體、Sm抗體、抗磷脂抗體）；
- 抗核抗體呈陽性反應。

依據1997年美國風濕病學會之診斷條件，當以上十一項症狀中出現四項或四項以上時，即可診斷為SLE。但病人如果出現前述症狀，雖然還不到四項，也應注意此病的可能性。由於免疫學檢查之進步，SLE之確定診斷已較無困難，因此醫師及病人知悉SLE產生的各種臨床症狀，且有敏銳之警覺性，是早期發現此病的最大法寶。

全身性紅斑狼瘡之治療原則

由於臨床免疫學之發展，使得診斷較為容易，又因致病免疫機轉的了解與科技醫藥的進步，也使得治療變得更有效。目前已有多種新型免疫抑制藥物，及「以致病免疫細胞與免疫分子」為標靶之生物製劑。

紅斑狼瘡治療之一般原則有：

- 定期評估病情及療效。
- 保持充沛體力。
- 避免曝曬陽光。
- 適時控制感染。
- 適當藥物治療且遵從醫囑。

全身性紅斑狼瘡的藥物治療

SLE藥物治療之觀念，首先須認清組織發炎係因異常免疫反應過強造成的，而此種異常免疫反應輕重不一，故治療藥物之選擇常須因「人」、因「時」、因「症」而異。

■非類固醇消炎藥物

非類固醇消炎藥物（NSAIDs）可用於症狀較輕且有關節痛、肋膜炎之病人。但有時NSAIDs會造成中樞神經症狀，而被誤以為中樞神經病變。

■類固醇或腎上腺皮質素

類固醇，俗稱「美國仙丹」，乃是治療紅斑性狼瘡最重要的藥物。輕度病情時可使用低劑量，重度病情因有器官功能喪失之虞，須使用高劑量。必要時，須使用靜脈甲基類固醇脈衝療法，在每次脈衝治療後，仍須使用較低劑量之口服類固醇。

長期使用高劑量類固醇須注意其副作用。若疾病已被控制，逐漸減少藥量頗為重要，其劑量以能控制病情之最低劑量為準。若病患病情在使用高劑量類固醇後仍無法控制，或產生其他較嚴重副作用時，則須併用免疫抑制藥物。類固醇之適當使用甚為困難，容易患的錯誤是「過」與「不足」，以及病患自行減量或停用。

氯奎寧

氯奎寧（hydroxychloroquine）藥物對SLE之皮膚、骨骼肌肉病變，或輕度之全身症狀的治療有效。服用藥物之病患須避免日曬，以免皮膚色素沉澱，且須定期檢查眼底，以早期偵測視網膜病變（發生機率極少）。

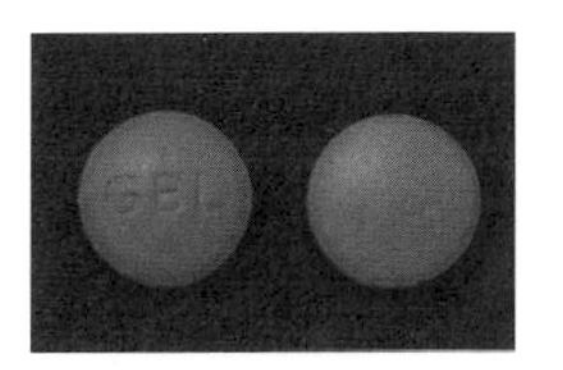

● hydroxychloroquine

免疫抑制藥物

免疫抑制藥物（immunosuppressive drugs）之使用，通常在高劑量之口服類固醇療效不佳，或病情嚴重危急時併用。先前研究已證實，狼瘡腎炎使用此類藥物可減少慢性腎炎或腎衰竭之發生。免疫抑制藥物之副作用包括感染機會增加，尤其是帶狀皰疹之發生。而部分藥物會抑制骨髓造血機能。環磷醯胺（cyclophosphamide）長期大量使用可能會增加膀胱之併發症（如血尿或膀胱癌），且可能造成女性卵巢功能減低。目前已有多種新型免疫抑制藥物，如山喜多（Cellcept）或睦體康（Myfortic）可用於SLE的治療，由於其作用主要針對免疫細胞，因此

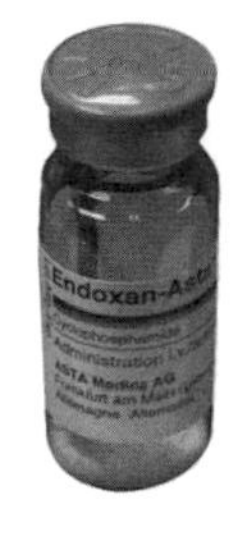

● cyclophosphamide

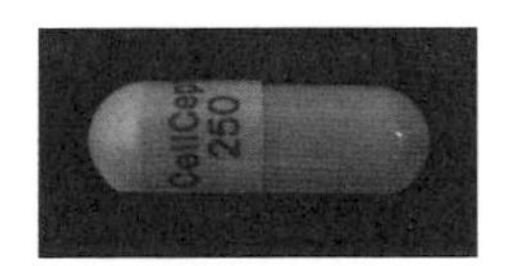

● Cellcept，簡稱MMF， 250mg cap

副作用較傳統之免疫抑製藥物如環磷醯胺為低。

全身性紅斑狼瘡的血漿交換治療

血漿交換（plasma exchange）會迅速減少血液中的抗體、免疫複合物、發炎物質的濃度，同時也會抑制免疫細胞的功能。但此種影響，僅在血漿交換時和血漿交換後暫時有效，通常須同時使用免疫抑制藥物，以防止免疫系統再度活化。血漿交換之療效如何，至今仍未有明確結論。

狼瘡腎炎之治療，須注意其急慢性、症狀輕重之分，更須注意其腎功能之可逆或不可逆，有時須輔以腎臟病理切片檢查，參考狼瘡腎炎病理之類別，及病理活動度或慢性度之指數，在急性或可逆時期，須積極使用類固醇及免疫抑制藥物。目前因急性狼瘡腎炎而演變成慢性腎衰竭，須長期透析治療（洗腎）者已大為減少。末期腎衰竭病人也可進行腎臟移植，SLE病人接受腎臟移植後，極少有狼瘡腎炎之復發，因此**腎臟移植不失為末期狼瘡腎炎脫離長期透析的好方法**。

合併高血壓、高血脂之治療

狼瘡腎炎常併有高血壓與高血脂，而高血壓經證實較容易產生早發性動脈硬化，並加速腎絲球硬化，影響腎炎預後極大。因此積極治療高血壓與高血脂，應視為狼瘡腎炎治療中的一大重要課題。

狼瘡腎炎與懷孕

SLE病患之受孕率與常人無異，但其流產率則較常人高出許多。由於醫療之進步，SLE病患因生產而造成母體死亡的情況已不多見，約僅有四分之一之母親因懷孕而使得SLE病情惡化。一般而言，母體在懷孕前的病情控制愈穩定，則懷孕時或產後所造成的病情惡化愈可減少。因此適當懷孕時機之判斷與懷孕前之病情控制頗為重要。

30

小兒全身性紅斑狼瘡

江伯倫（台大醫學院小兒科教授）

前言

儘管有許多的研究者投入相當多的精力和時間，自體免疫疾病的發病機轉至今仍不是很清楚。在自體免疫疾病的範圍中，又分成「全身性」和「器官特異性」，**全身性自體免疫疾病中以全身性紅斑狼瘡（systemic lupus erythematosus）最具代表性**。全身性紅斑狼瘡的研究由於發展已久，加上有著跟人類疾病類似的動物模式能夠進行相關的研究，一直為人所重視，但是至目前為止，我們對全身性紅斑狼瘡真正發生的機轉還是不清楚。

全身性紅斑狼瘡的流行病學

全身性紅斑狼瘡**主要侵犯女性**，由青春期開始，尤其是具有生育能力的年輕女性。全身性紅斑狼瘡**也會侵犯到孩童**，但幾乎很少發生在5歲以下的孩童。好幾個研究報告指出，女男發病的比例約為由8：2到9：1不等，至於為何會有性別的差異，目前認為跟性荷爾蒙有著密切的關係。早期的報告指出，流行率約為每十萬人之中有0.6人，近年來由於診斷上的進步及警覺性的提高，流行率又比以前提高了不少。台灣地區如果真的詳細評估流行率，應該約有1至2萬的紅斑狼瘡患者，為數不少。

全身性紅斑狼瘡的臨床表現

全身性紅斑狼瘡的疾病特徵是，會產生許多種不同的自體抗體，認識各種不同的器官及組織，如抗核抗體（anti-nuclear antibody, ANA）、抗紅血球抗體（anti-erythrocyte antibody）、抗心磷脂抗體（anti-cardiolipin antibody）、風濕因子（rheumatoid factor）、抗細胞質抗體如抗Ro及La抗體（自體抗體的一種）和抗DNA抗體等，造成這些器官及組織的破壞，而引起全身性的症狀。由於這些自體抗體本身或是形成的抗體 - 抗原複合物（antigen-antibody complex）會在組織沉積，造成如蝴蝶斑（butterfly erythema）、溶血性貧血、關節炎、血管炎及腎絲球腎炎（glomerulonephritis）等臨床表現。這其中又以抗DNA抗體最具有病理意義，**尤其是IgG抗dsDNA抗體**。這些IgG抗dsDNA抗體會沉積在腎絲球，造成腎絲球腎炎，甚至導致腎臟衰竭。全身性紅斑狼瘡患者有相當高的比例會導致嚴重的腎病變，甚至因此而死亡。**在孩童期所發生的全身性紅斑狼瘡與成人期不同的是，通常都會來得更快，而且一般的病情都是更嚴重**。所以小兒過敏風濕科醫師在面對孩童期的紅斑狼瘡時，需要更加戒慎恐懼，因為稍一不慎，可能就會出現較嚴重的後遺症。

全身性紅斑狼瘡的致病機轉

雖然真正的發病機轉仍不明，但一般研究者認為跟遺傳有關，而且是多因子性的遺傳因素。在雙胞胎的研究發現，若是其中一位得到全身性紅斑狼瘡，那麼另一位得到疾病的機會約為40%至60%，不會達到100%。**這顯示疾病的發生並非完全由遺傳所決定**。

在眾多遺傳因子中，最為人們了解的，還是與主要組織相容抗原（major histocompatibility complex）之間的關係。研究發現，全身性紅斑狼瘡患者HLA-DRw2及HLA-DRw3的頻率增加。

除了遺傳的因素之外，有一些環境中的因子，如病毒感染、汞

（mercury）等，也都被認為是引起全身性紅斑狼瘡的原因。目前較為大家所接受的看法是，**病人需有一些遺傳因素的背景，但仍需要一些外在因子來激發疾病**。這些外來因子包括一些外因性抗原（exogenous antigen），這些抗原可能與自體抗原有交叉反應，進一步導致自體免疫反應。而在之前我們也提到，全身性紅斑狼瘡在女性較多，目前已經有研究證明，女性荷爾蒙會促進B細胞製造更多的抗體，其中當然也包括自體抗體。也因為如此，有為數不少的患者會有在月經來的那個時期，身體會出現較多症狀的經驗，可能就是與荷爾蒙有關。

全身性紅斑狼瘡的治療

目前有關全身性紅斑狼瘡的治療主要包括：

■類固醇

雖然大家對類固醇都還是一直有著畏懼和排斥，但是類固醇對全身性紅斑狼瘡的病情控制，目前仍然是不可或缺的藥物。類固醇可以有效地抑制自體反應性免疫細胞的活性，和降低發炎的反應，**所以在急性期時，類固醇還是一個最好的治療藥物**。當然，類固醇如果劑量太高而且使用過長時，會引起嚴重的副作用，包括如月亮臉、水牛肩、毛髮增生；此外，也會導致骨質疏鬆等症狀。而且，長期的類固醇也會導致精神和睡眠上的問題。

■抗瘧疾藥物

（奎寧類藥物——氯奎寧[hydroxychloroquine]，商品名plaquenil）

抗瘧疾藥物被用在全身性紅斑狼瘡的治療已經有一段時間，主要的機轉是抑制自體抗原的表現，**因此被用來當作輔助性療法**。同時，奎寧因為副作用小，在使用上較沒有疑慮。在臨床上，這類藥物用在全身性紅斑狼瘡皮膚表現上的治療，也具有相當不錯的效果。

■細胞毒殺性藥物

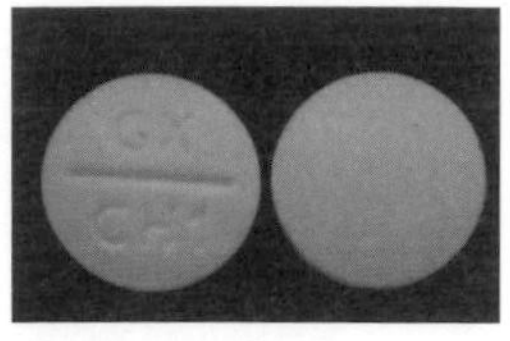

●Imuran 50mg tab

細胞毒殺性藥物包括azathioprine（商品名移護寧[Imuran]）和cyclophosphamide（商品名愛德星[Endoxan]）。這兩種藥物都被用在全身性紅斑狼瘡的治療，其中**移護寧**是屬於較常用的藥物，主要的副作用包括骨髓抑制和掉頭髮等副作用。**愛德星**通常用在較嚴重的併發症，包括腎臟發炎和血小板低下症等，但是愛德星在較高量使用時會導致較嚴重的副作用，如血尿、嚴重掉頭髮和明顯的骨髓抑制。基本上，愛德星目前大部分還是主要應用在嚴重腎炎的治療上。

■環孢靈素和tacrolimus

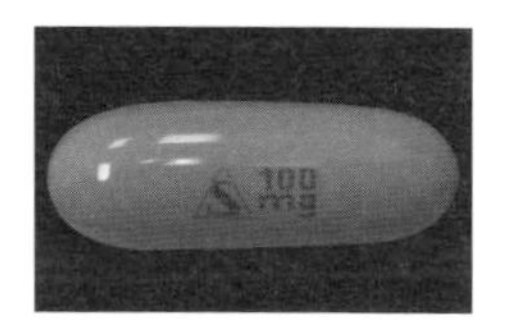

●cyclosporin 100mg cap

環孢靈素（cyclosporine）和tacrolimus（商品名普樂可復[Prograf]、FK 506）主要是抑制T細胞的功能，所以可以用在免疫抑制的目的上。但是由於這類藥物主要是針對T細胞的過度活化，**所以大部分的時候可能還是需要合併其他藥物使用**。

■睦體康

目前已經有愈來愈多的臨床醫師將這類藥物當作嚴重腎炎的主要藥物，甚至用來取代副作用較多的愛德星。但是以筆者個人的經驗，睦體康（Myfortic, MMF）對治療腎臟炎的效果還是比不上**脈衝式治療**（就是一次給大量）**的愛德星**，所以針對較嚴重的腎炎，還是優先考慮使用愛德星來進行治療。

■生物製劑

這兩年來有愈來愈多的生物製劑，主要是類似標靶療法的藥物，被應用到全身性紅斑狼瘡的治療。包括抗**CD20抗體**（rituximab，商品名莫須瘤[Mabthera]）應用在腎臟疾病的治療，有研究顯示，可以用在取代部分愛德星的療程。此外，還有針對B細胞活化的單株抗體——**貝利單抗**（belimumab[LymphoStat-B]）也被應用到全身性紅斑狼瘡，目前台灣還在進行臨床試驗中。此外，還有一個DNA的合成片段「**LJP394**」，也被用來治療全身性紅斑狼瘡。其主要的機轉是利用此一合成的DNA片段，來競爭體內的DNA，或是其他自體抗原，以降低組織的破壞。

全身性紅斑狼瘡的病程和後遺症

全身性紅斑狼瘡的患者最嚴重的受犯器官主要為**腎臟**，許多人因為腎臟功能缺損而導致腎衰竭，甚至需要洗腎來度過這段生活。此外，全身性紅斑狼瘡患者也因為免疫功能下降而容易受到**感染**，除了細菌感染外，還包括病毒和真菌的感染，甚至很容易發展成全身性感染疾病。近年來因為治療上的進步，發展成慢性腎衰竭的人數已比以前降低許多，但是因為大多數的患者可以活得較久，這幾年來出現**神經系統**受影響的病友反而有增加的趨勢。在小兒全身性紅斑狼瘡治療時需要更加注意的一件事是，由於小朋友還在成長期，所以應該注意會影響到小朋友生長的類固醇，在使用劑量和期間應多加斟酌。如果可以的話，應考慮使用其他藥物來降低類固醇的使用量，使之既能夠控制病情又可以讓小朋友順利成長。

結語

全身性紅斑狼瘡是一種有多種面貌的全身自體免疫疾病，而且隨著病程的進行，可能會侵犯到不同的器官，因此算是較難完全控制的一種自體免疫疾病。但是，隨著最近藥物和治療的進步，其實我們對此一疾病已經能夠有較好的治療，而且相關患者的存活率和生活品質，也比以前好很多。但是，對小兒全身性紅斑狼瘡的患者，除了治療他們的疾病外，對他們在成長期的健康成長過程也是非常重要的。

31

類風濕性關節炎

成人RA部分

何輝煌（長庚醫院風濕過敏免疫科主治醫師）

引言

類風濕性關節炎（rheumatoid arthritis, RA）是諸多關節炎中的一種，希臘文"Rheuma"是「水」的意思，引申為關節炎產生關節積水的狀況。最早被發現的關節炎為痛風，RA一詞則是在1800年率先由藍德瑞（Landre）所提出。這是一種全身性的結締組織疾病，除了關節炎以外，也可以侵犯身體任何一個組織器官系統，所以有些學者主張用「類風濕性症候群」（rheumatoid syndrome）來稱呼此一疾病。

類風濕性關節炎的流行病學

RA會侵犯任何人類的種族。早期在歐美的流行病學報告其發生率約為1%至3%，但後續的報告顯示它在各地區、各種族之發生率有很大的差異。台灣目前尚無大規模的RA流行病學報告，在一些小規模的地區性調查中，其發生率介於0.2%至0.5%。都市人的發生率高於鄉下人，這也暗示在RA的致病機轉方面，**除了遺傳因素以外，環境因素也扮演著重要的角色**。RA病患之男女比例約為1：2-3，發病年齡以25至50歲最多，臨床上以40至70歲的病人最常見。有5% RA發病是在16歲之前，被定義為「幼年型類風濕性關節炎」（juvenile rheumatoid arthritis, JRA）。RA如無積極治療，很容易造成關節的破壞變形、功能殘障、失去工作與生活能力，對社會經濟之負面影響很大。

類風濕性關節炎的致病機轉與免疫病理學

RA的確實病因仍不十分明確，但與其他自體免疫性結締組織，如全身性紅斑狼瘡（SLE）一樣，由遺傳與環境兩大因素共同觸發身體的細胞性（cellular）及體液性（humoral）免疫反應，被認為是主要的致病機轉。**在遺傳因素方面**，與人類白血球抗原HLA-DR-β鏈有關，其中以HLA-DR4與RA關係最密切，DR1與DR10、DR14等組織基因也被認為與RA之發病有關。在環境因素方面，早期的研究顯示與EB病毒（Epstein-Barr virus, EBV）有關。在1980年代的研究則顯示與腸道細菌感染、腸炎有關。稍晚C型肝炎病毒（hepatitis C virus, HCV）、小病毒B19（parvo B19）、反轉錄病毒（retrovirus）、黴漿菌、肺結核菌（產生之熱休克蛋白[heat shock protein, HSP]）也被發現與RA之致病有關。遺傳與環境因素共同引發體內免疫系統產生之自體抗體（如類風濕因子）、細胞激素、趨化因子、生長因子及它們所引發產生的發炎介質、血管翳（pannus）及酵素（基質金屬蛋白酶[matrix metalloproteinase, MMP]，如膠原蛋白酶[collagenase]等）為RA造成關節發炎、軟骨、骨骼破壞的主要產物。

類風濕性關節炎的關節表現

RA之發病型態主要有三種，其中以「漸發型」（insidious onset）最常見。另有「中間型發作」（intermediate onset）及「急性發作」（acute onset）。

在發作時侵犯關節的數目方面，約有75%至80%為「多發性關節發作」（polyarticular onset），另20%至25%為「單一關節發作」（monoarticular onset）。侵犯關節以手腳小關節，如近端指骨間關節

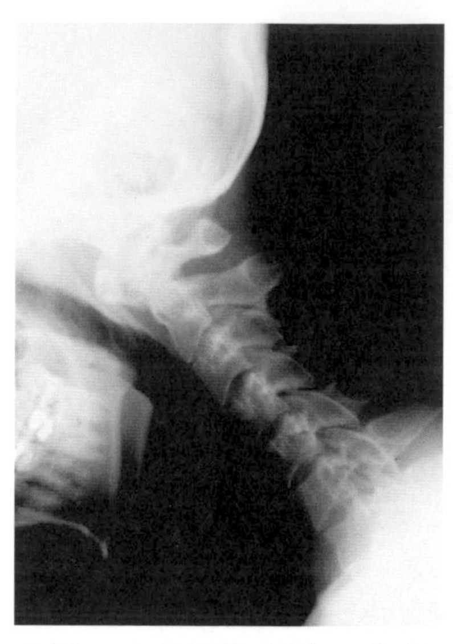

●圖1：如果頸椎受侵犯，造成脫位，就需要帶頸圈或以手術治療

（PIP）、掌指骨間關節（MCP）、蹠趾骨間關節（MTP）及肩、肘、腕、膝、踝等大關節最常見。另外，胸鎖關節、顳顎關節、頸椎關節亦頗常受波及。頸椎侵犯方面，晚期RA病患約有30%至50%會有第一、第二頸椎受侵犯，如果造成脫位（圖1）會壓迫神經、血管甚至延髓，造成生命危險，需要帶頸圈或以手術治療。侵犯環狀杓狀軟骨關節（circoary-tenoid joint）則會造成呼吸道阻塞。

在病程方面，70%走的是多週期病程（polycycylic course），其中又分為時好時壞型（remittent）及間歇型（intermittent）。10%至20%走的是單週期（monocyclic course）即發病一次就緩解，另有10%走的是進行性（progressive）或惡性（malignant）RA，即發病一年內即有關節之破壞。

有些病患呈現不典型的發病型態，如反覆型風濕病（palindromic rheumatism），成人型史迪爾氏病（adult onset Still's disease, AOSD）表現高燒、皮疹、白血球上升、肝脾淋巴腫大、漿膜炎、關節炎、喉痛、肝功能異常等。另一種RA型態為粗厚型關節炎（arthritis robus-tus），以增殖性滑膜炎、囊胞炎為主要表現，多發生於男性勞工。

年齡與性別也會左右RA的發病狀態，例如有些青春期晚期或中年女性只有膝關節受侵犯。發生半身麻痺的病患，則會出現身體兩側RA嚴重度不對稱現象。晚期RA會出現多種型態的關節變形，包括天鵝頸變形（swan neck deformity）（圖2）、潛艇樣變形（boutonniere deformity）（圖3）、Z字型變形（Z deformity）、尺骨側偏移（ulnar deviation）、望遠鏡狀變形（opera glass deformity）、肌肉萎縮、肌腱斷裂等。

類風濕性關節炎關節以外的表現

- **全身性症狀**：倦怠、體重減輕、食慾不振、肌痛、微熱等。
- **類風濕結節**（rheumatoid nodules）。
- **血液學變化**：貧血、嗜伊紅性白血球上升、血小板數上升等。
- **肺部變化**：肋膜痛、肋膜炎、間質性肺病、阻塞性細支氣管炎、肺炎、血管炎與結節性肺病（Caplan氏症候群——RA併發肺塵埃症、肺結節等）。
- **心臟變化**：心包膜炎、心肌炎、血管病變（含心肌梗塞）、主動脈炎、傳導障礙、心律不整、類澱粉症、發炎及心衰竭等。高血脂症併發之心血管疾病及中風增加，近年來頗受重視。
- **腎臟變化**：血尿、蛋白尿、類澱粉症、腎功能不良、腎絲球腎炎、血管炎等。
- **眼睛病變**：乾眼症（及修格連氏症候群[Sjogren's syndrome]）、鞏膜炎、上鞏膜炎等。
- **神經病變**：神經壓迫、周邊神經、脊髓腦膜病變等。

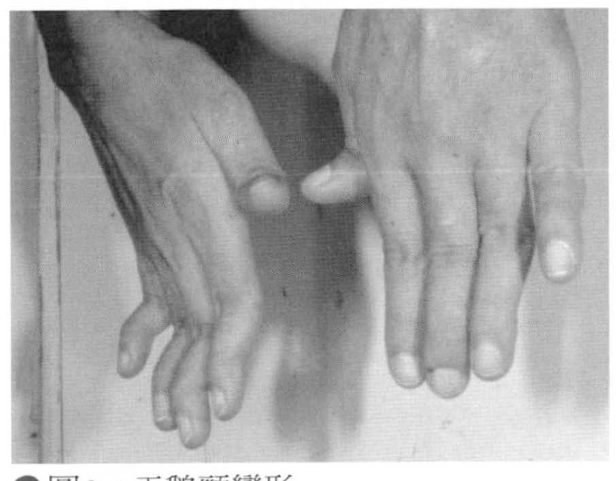

●圖2：天鵝頸變形

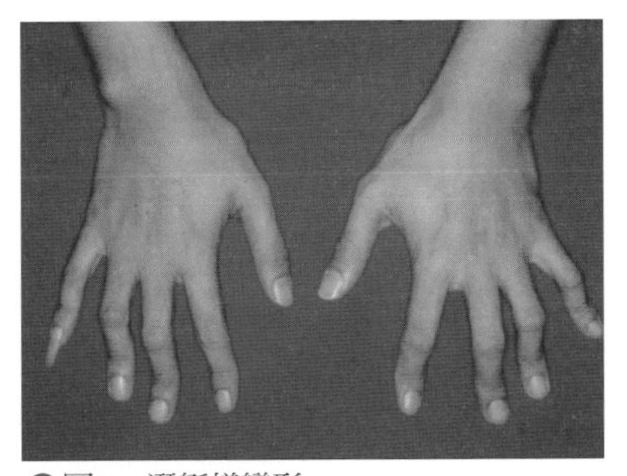

●圖3：潛艇樣變形

- 類風濕性血管炎（rheumatoid vasculitis）：會有皮膚紫斑、出血、壞死，並合併上述內臟及神經之侵犯。
- Felty氏症候群：合併脾臟腫大、白血球減少、皮膚潰瘍、巨顆粒淋巴球症候群等。
- 瘻管形成（fistula formation）。
- 感染。

有關節以外表現的RA病患，一般預後較差，更需予以積極治療。

類風濕性關節炎的診斷

■疾病診斷

依據美國風濕病學院（ACR）1987年修訂的七項診斷標準：

- 晨間僵硬達一小時以上。
- 在14個關節區同時有三個以上呈現發炎情形。
- 手部關節炎。
- 對稱性關節炎。
- 類風濕結節。
- 血清類風濕因子陽性。
- 放射線檢查顯示骨骼糜爛或脱鈣等現象。

上述七項中有四項存在，且第一至四項持續六週以上，即可診斷為RA。

■疾病分期

依X光變化分為stage I、II、III、IV四期。

■身體功能分級

依日常生活能力分為functional class I、II、III、IV四級。

■疾病活動性評估（disease activity index）

傳統依紅血球沉降速度（erythrocyte sedimentation rate, ESR）、C-反應蛋白（C-reactive protein, CRP）等發炎指標及Hb（血紅素）、晨間僵硬時間、握力、關節指標（articular index）——疼痛關節數目及疼痛度之綜合評分等項目，來評估RA之疾病活動度。現則以28處關節疾病活動度積分（disease activity score, DAS-28）為主要方法，或以美國風濕病學學院所設立的對治療的反應標準（ACR20、50、70）評估治療成效。

完成以上四項診斷工作，才算是完全診斷RA，尤其是疾病活動性之評估，為決定治療方法的最重要依據。

類風濕性關節炎的治療

RA治療之目標在於控制關節腫痛與全身性症狀，並預防、減少關節之破壞、變形，進而避免殘障、提高生活及工作能力、生活品質。**教育**（包括衛教、心理治療、體重控制、適度休息與運動等）、**復健**（物理及職能治療）、**藥物治療及手術為治療**RA的四大方法。

傳統的「金字塔模型」治療法（即先用教育病患、復健、投予消炎止痛藥，如果反應不佳才漸進式地加入免疫調節劑、細胞毒殺劑及實驗性治療等）已被淘汰，因為這種保守的治療方式可能讓RA病患忍受長期的關節疼痛，與冒著關節破壞變形的危險性，所以及早使用疾病修飾抗風濕藥物（disease modifying antirheumatic drug, DMARD）成為治療RA的新近趨勢，藥物之選擇模式目前較被接受的有：

■下階梯介橋療法（step-down bridage therapy）

即一開始就併用兩種以上的DMARD及快速消炎止痛藥（如類固醇），療效出現後再逐漸減藥，如果惡化則再換藥或加藥。

■鋸齒模式（saw-tooth）

即堅持一種以上DMARD併用消炎藥，並視疾病彈性調藥。

■分級療法（graduated-step）

即判別病患狀況、疾病活動性等，再決定給藥的方法與種類。

水楊酸（salicylate）與非類固醇類消炎止痛藥（nonsteroid anti-inflammatory drug, NSAID）為傳統的第一線用藥，如能選擇抑制第二型環氧酵素（cyclooxygenase-2, COX-2）而不抑制第一型環氧酵素（COX-1）的NSAID，如希樂葆（celebrex）、萬克適（arcoxia）等，可避免胃黏膜傷害等副作用。

類固醇的理想使用方法，為局部使用（如關節內注射）及介橋療法（bridge therapy）——即DMARD藥效未出現時使用，但如能在疾病活動期維持一低劑量類固醇（如prednisolone不高於每天7.5mg），並小心偵測其副作用，亦不失為一適當方式。DMARD包括傳統的第二線抗風濕藥（羥氯奎寧[hydroxychloroquine]、磺銨匹林[sulphasalazine]、金鹽[gold salt]、D-青黴胺[D-penicillamine]）及第三線藥（即免疫抑制或細胞毒殺劑，包括氨甲喋呤[methotrexate, MTX]，硫唑嘌呤[azathioprine]，環磷醯胺[cyclophosphamide，商品名癌得星[Endoxan]），後來還有環孢靈（cyclosporine）、leflunomide（商品名艾炎寧[Arava]）也被確認

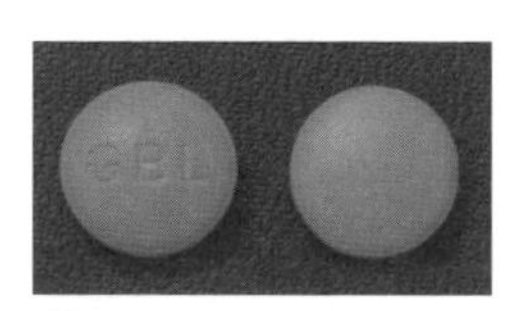
●hydroxychloroquine

能有效治療RA，其中氨甲喋呤每週7.5至25mg之脈衝式投予（即每週劑量在1到3天內集中投予），被譽為最佳DMARD，但可能的副作用包括肝毒性、骨髓抑制、敏感性肺炎、口腔炎、腸胃副作用等亦不容小覷。在腎功能不好、酗酒、高齡之病患都要小心使用，每週服用MTX前併服葉酸（folic acid）則可減少MTX之副作用。

● leflunomide

近年來治療風濕免疫疾病的生物製劑，在RA治療領域方興未艾，包括以抑制細胞激素——腫瘤壞死因子-甲（tumor necrotic factor-α，TNF-α）的生物製劑包括恩博（etanercept，商品名Enbrel）、復邁（adalimumab，商品名Humira）及因福利美（infliximab，商品名Remicade）等三種最常被使用，另有第一、第六介白質拮抗劑。抗原呈現細胞與T細胞間共同刺激分子抑制劑（abatacept，商品名Orencia），B細胞表面抗原CD20抑制劑（rituximab，商品名莫須瘤[MabThera]），其他的生物製劑尚包括抗CD4、抗IL-1、抗ICAM-1單株抗體等。其他的實驗治療（experimental therapy，就是指尚在實驗階段，還未被核准用於常規的臨床治療上），包括抗生素（美諾四環素[minocycline]）、口服膠原蛋白（collagen，引發免疫耐受），近年來人類基因圖譜之建立完成亦有助於基因療法（gene therapy）之進展，而RA之治療也可望由「控制」蛻變成「根治」的境界。

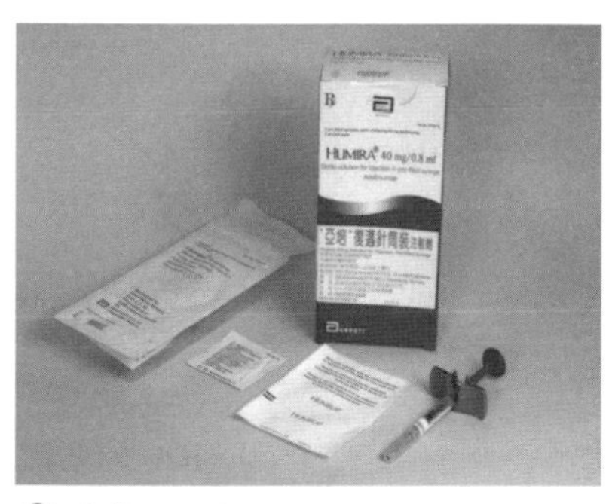

● adalimumab

32

兒童期類風濕性關節炎

黃璟隆（林口長庚兒童醫學中心兒童內科部主任）

前言

眾多兒童慢性關節炎中，最常見的應屬兒童期類風濕性關節炎（juvenile rheumatoid arthritis, JRA），又名「兒童期特異性關節炎」（juvenile idiopathic arthritis, JIA），雖然大略又分成三種型式，但主要發生於16歲以下的兒童，影響兒童的關節，造成關節發炎，引起關節腫脹與疼痛。每個關節發炎會持續6週以上，但受影響的關節數目，會隨關節炎種類的不同而異。發炎的關節，早上起床活動時，會有「卡」住的感覺，稱為「**晨僵**」（morning stiffness），等到中午時會感覺舒服多了，這是類風濕性關節炎的特徵，但並不是所有類風濕性關節炎的患者都會出現這種情況。

兒童期類風濕性關節炎分成三種亞型

■全身型兒童期類風濕性關節炎（Systemic JRA）

在所有兒童期關節炎之中，全身型占10%至20%，臨床表現除關節發炎疼痛外，主要以反覆發生的不明熱，合併「鮭魚肉色」的粉紅色皮疹（salmon rashes）。發燒時皮疹出現，燒退時皮疹又消失。另外，有些小朋友會伴隨有淋巴腺腫大，肝臟與脾臟也會腫大，甚至有肋膜積水等現象。由於**具有全身性的身體症狀**，因而得名。

■少關節型兒童期類風濕性關節炎（Pauciarticular JRA）

自兒童發生關節炎起的6個月內，所影響的關節數目，若少於（或等於）4個關節，即稱之為「少關節型兒童期類風濕性關節炎」。此類關節炎在兒童慢性關節炎中占50%左右。這群患者主要分成兩類，一類是屬於**8歲以上的男性**，組織抗原（人類白血球抗原[Humen Leukocyte Antigen B27, HLA-B27]）陽性，容易合併筋膜病變（接骨點發炎[enthesitis]），此類關節炎與僵直性脊椎炎關係密切，往後可能會影響到脊椎關節及腸薦關節；另一大類為**年齡甚輕（年齡小於4歲）的女性**，抗核抗體（ANA）呈陽性，此類患者關節炎不甚嚴重，但易罹患眼睛的葡萄膜炎（uveitis，虹膜睫狀體炎[iridocyclitis]），這些小病人建議在罹病後的前兩年，至少每三個月看一次眼科醫師，仔細用細隙燈（slit lamp）檢查，以免影響視力。

■多關節型兒童期類風濕性關節炎（Poly JRA）

多關節型的患者占所有兒童期關節炎的30%左右，發病後6個月內影響關節數目超過5個。與成人類風濕性關節炎相似，受影響的兒童年齡較長，以女性為主，且較容易有類風濕因子（rheumatoid factor, RA）陽性及抗環瓜氨酸抗體（anti-cyclic citrullinated peptide，Anti-CCP）陽性，易破壞關節，須積極治療。

罹患兒童期類風濕性關節炎的原因

罹患兒童期類風濕性關節炎的原因目前仍未知，但台灣人罹患的機率（盛行率3.6／10^5，每十萬人之中有3.6人）與日本人（盛行率0.8／10^5，每十萬人之中有0.8人）相似，皆比白種人少很多。根據我們的研究，人類白血球抗原呈現HLA-DRB1*0405易罹患少關節及多關節型兒童期類風濕性關節炎；反之，若人類白血球抗原呈現HLA-DRB1*1502則易罹患全身型兒童期類風濕性關節炎。所以遺傳是一個重要因素。另外，曾經暴露過某些感染原可能也是致病因素之一，但確實原因仍待研究。

兒童期類風濕性關節炎的診斷

若一個關節持續發炎1至2週以上，就應懷疑了！一般感冒引起的關節炎或關節痛，不會持續超過一星期，且會自己改善，若關節炎持續6週以上，則為診斷兒童期類風濕性關節炎之必要條件。

■會影響多個關節

細菌感染引起的關節炎（化膿性關節炎）只會影響一個，影響兩個關節以上則甚罕見，但兒童期類風濕性關節炎常會同時影響多個關節。

■會影響到小的關節

細菌感染引起的關節炎，一般影響的關節炎以大關節為主，如膝、髖、肘關節為主，而且只會影響一個關節，不會有移動現象（即一下子左側關節，一下子右側關節），但兒童期類風濕性關節炎，常會影響兩側關節，且多個關節一同發炎。

■兒童期類風濕性關節炎易有晨僵現象

一般受傷的關節，運動後疼痛會加劇，所以早晨最舒服，下午則會很不舒服。但兒童期類風濕性關節炎則相反，早晨起來特別不舒服，有緊緊卡住的感覺，活動起來很不方便（謂之「晨僵」），但到中午過後就改善甚多。

任何診斷為兒童期類風濕性關節炎患者之前，應先排除其他疾病的可能性，包括細菌感染、白血病等。應再三強調，先排除其他可能之疾患，再當作兒童期類風濕性關節炎來治療，比較妥當。

兒童期類風濕性關節炎的治療

■需要團隊治療

成員包括兒童風濕科專科醫師、社工師、復健科醫師、專科護理師，這個團隊須能提供患者各項諮詢，並告知各種藥物的副作用，防止關節變形。

■治療的主要目標

控制關節的發炎，減輕關節發炎帶來的痛楚與不舒服，防止關節因發炎而變形或不等長，所以基本上應該給予抗發炎藥物（非類固醇類消炎藥[NSAIDS]）。若是較嚴重的患者，應給予第二線藥物（疾病修飾抗風濕病藥物[Disease Modifying Drugs, DMARDS]）。兒科病人主要使用的藥物包括滅殺除癌錠（Methotrexate, MTX）、斯樂腸溶錠（Sulfasalazine）、壓彼迅錠（Azathioprine）等。另外，對於使用以上藥物仍控制不良者，可考慮給予合併療法或生物製劑，或所謂標靶治療，這些新一代的藥物，包含抗腫瘤壞死因子（Anti-TNF-α agents，包括etanercept，商品名恩博[enbrel]；因福利美infliximab，商品名Remicade；adalimumab，商品名復邁[Humira]），這些藥物效果良好，長期之副作用則仍須進一步觀察。

■類風濕性關節炎病童須定期拜訪眼科，提防葡萄膜炎的發生

依據不同種類的關節炎，及其他危險因子（年齡、性別、抗核抗體之有無），請遵照兒童風濕科醫師之建議，定期在眼科門診追蹤，若有葡萄膜炎，須盡速且規則追蹤治療，以免引起併發症及視力障礙。

結論

兒童期類風濕性關節炎與成人類風濕性關節炎是完全不同的疾病，是否有類風濕性因子及Anti-CCP，並不是必要的診斷標的，臨床表徵才是主要的診斷方法。若治療不適當，易導致四肢不等長，並影響小孩子的成長發育，只要有效與適當的治療，可減少疾病及藥物帶來的併發症，唯有家屬與病童完全的配合，才是決定治療是否成功的關鍵。

33

身體如何對抗入侵的病毒？

陳念榮（陽明大學微免所助理教授）

前言

病毒與其他入侵體內的病原不同，由於它極為微小，意謂著面對病毒顆粒時，免疫細胞所能接觸之抗原分子（如病毒表面的膜蛋白，或病毒內所含之酵素分子或遺傳物質）的種類及數量都極為微量。宿主免疫系統此時主要是以**體液性的免疫機制**來辨識與清除病毒顆粒。部分的病毒顆粒亦可被**巨噬細胞**吞噬，而引發發炎與先天性免疫反應，產生重要的**抗病毒細胞激素**（如干擾素[interferon]及腫瘤壞死因子[TNF]）以活化抗病毒的機制。

當病毒感染宿主之後，在短時間內，會將遺傳物質注入被感染細胞，並開始利用宿主細胞的生化機制，合成病毒的組成蛋白與遺傳訊息。而躲入宿主細胞中之病毒，則不再受細胞外之體液性免疫攻擊機制調控。受感染的細胞會改變細胞膜蛋白的表現，以引發**自然殺手細胞**的活化。

當細胞合成病毒蛋白時，會啓動抗原呈獻機制，將屬於病毒特有的抗原片段呈獻於組織相容複合體（MHC）上，啓動專一性的**T細胞免疫反應**（CD4與CD8），進而活化B細胞與專一性抗病毒抗體的產生。一部分的專一性T細胞與B細胞會進一步分化為**記憶細胞**，當宿主再次受到相同之病毒感染時，能快速產生強烈的免疫反應，去除二次感染的病原。

接下來，我們將依不同的感染時期，進一步討論病毒引發的免疫反應之細節。

初次病毒感染初期

與大多數病原相同，宿主阻擋病毒感染的第一道防線是**皮膚與黏膜組織**。除了物理性的區隔之外，在黏膜中亦常有許多可溶性的保護因子（如IgA抗體及阻擋性的短胜肽），能在第一時間將病毒的感染力降低。當皮膚或黏膜組織的保護層出現缺口後，病毒顆粒進入組織液與血液之中，體液性的可溶性免疫分子（如**抗體**與**補體**系統）開始發揮功效。

初次受到感染的宿主體內，所表現的抗體往往是親和力較低的早期抗體分子（如IgM），這些抗體分子的專一性與阻擋病毒的能力往往也較低。抗體分子可藉由**中和**（neutralize）病毒表面之辨識抗原，以阻擋病毒顆粒與宿主細胞的接觸，進而避免細胞被感染。在某些較大型病毒的感染中，黏附於病毒表面的抗體分子可進一步由傳統路徑（classic pathway）活化**補體系統**（complement），將病毒顆粒溶解。黏附於病毒表面的抗體與補體，亦能發揮**調理**（opsonization）的功效，加速吞噬細胞將病毒顆粒吞噬與銷毀的進程。

除了抗體與補體之外，在病毒感染初期，許多屬於先天性免疫反應中的免疫細胞，例如**自然殺手細胞**（NK cell）與**巨噬細胞**（macrophage）等亦開始被活化。

自然殺手細胞是體內對抗病毒感染反應中的快速反應淋巴細胞，它的活化主要是藉由辨識感染前後細胞表面上MHC class I及相關抗原分布的改變，它的抗病毒機制主要是快速辨識，並去除受病毒感染之細胞，減低病毒在宿主細胞內複製的機會。

巨噬細胞則負責吞噬並銷毀病毒顆粒與受感染後死亡細胞之碎片。除了病毒表面上所表現之蛋白與醣類分子能引發巨噬細胞的活化外，遭吞噬的病毒顆粒會釋放出內含之遺傳物質（如單股或雙股的RNA分子），這些分子在溶解體中能與**類鐸受體**（toll-like receptor, TLR，如TLR3和TLR7）結合，進而引發巨噬細胞的活化，而產生高量的發炎反應引發因子（如腫瘤壞死因子TNF-α）等。

活化後的巨噬細胞亦是專業的抗原呈獻細胞，能將處理後之病毒抗原片段呈獻於細胞表面之MHC class II分子上，進一步活化專一性CD4 T輔助細胞的活化。除了**類鐸**受體之外，還有許多表現於細胞表面上的凝集素樣**受體**（lectin-like receptor），也被發現與病毒的辨識與免疫有極大的相關性（如Clec5a與登革熱病毒感染）。**樹突細胞**（dendritic cell）是體內最活躍的抗原呈獻細胞，活化T輔助細胞能力較巨噬細胞更強大。此外，第二型的樹突細胞（DC type 2或plasmacytoid DC）是體內最重要的**第一型干擾素**（type I interferon，IFN-α and IFN-β）的分泌來源。干擾素在抗病毒的免疫反應中，扮演極其重要的角色。第一型干擾素可活化宿主細胞的抗病毒能力，減少病毒的感染與複製能力。IFN-γ則是**第二型干擾素**，主要功能為活化巨噬細胞與調節第一型T輔助細胞（T_H1）免疫反應。

病毒進入宿主細胞後

逃過先期免疫反應攻擊的病毒顆粒，利用表面的膜蛋白與標的細胞上的受體結合後，會將遺傳物質注入細胞內，開始進行病毒的蛋白合成與複製。使得對抗胞外抗原的免疫反應失去效力，此時體內免疫系統開始將目標放在標定並去除受到病毒感染過的細胞。在受感染的細胞質內，病毒的遺傳物質（如dsRNA）已被發現可活化細胞內的**RNA解螺旋酵素**（RNA helicase）途徑，藉由活化維甲酸誘導I型基因（RIG-I）及黑色素瘤分化相關基因5（MDA-5）等分子，進而活化NF-κB（nuclear factor-kappaB，細胞核K因子）、MAPK（mitogen-activated protein kinase，分裂原活化蛋白激酶）等訊息而活化免疫反應。

當病毒感染細胞之後，會利用細胞的生化機制合成病毒所需之蛋白分子，並開始複製病毒的遺傳訊息。在此同時，感染處周邊的發炎反應細胞亦會產生大量的調控激素（如IFNs與TNF），這些訊息會明顯改變受感染細胞的膜蛋白（如MHC class I）表現組成，這也提供自然殺手細胞的活化信息，進而攻擊受感染細胞。受感染細胞在合成蛋白的過程中，會將部分的病毒抗原呈獻在細胞表面的MHC class I上，進而**活化殺手CD8 T細胞**，將受感染細胞清除。此外，表現在細胞膜上的病毒蛋白也可與抗體結合，進而引發**補體**的活化及自然殺手細胞的**抗體依賴細胞毒性**（antibody-dependent cytotoxicity, ADCC）**反應**。

吞噬過病毒顆粒的巨噬細胞與樹突細胞在活化後，會攜帶著病毒的抗原遷徙至淋巴結組織中，在此活化專一性的T細胞與B細胞，並在生成中心（germinal center）中大量增生，產生**高專一性與高效價抗體的B細胞或漿細胞**（plasma cell）。高效價抗體釋放至血液之中，循環於組織間。在感染的末期，還存活之受感染細胞開始釋放出成熟的病毒顆粒，並開始攻擊周邊未受感染的細胞。此時的免疫系統已發展出成熟的抗病毒能力，高專一性與高效價抗體可以有效的阻擋新生成病毒的感染能力，進一步清除體內受感染的細胞。待感染細胞消失後，絕大部分的專一性T細胞與B細胞會進行細胞凋亡（apoptosis），僅留下少部分高度成熟之細胞，進一步分化成記憶細胞（memory cell）。

二次病毒感染

當宿主第二次受到病毒感染時，免疫系統以高專一性與高效價抗體做為抵抗的第一項利器，同時間免疫系統會快速的喚醒前次感染中所發育出之記憶細胞，將對抗病毒所需之專一性免疫反應恢復，將二次感染的傷害降至最低。

結語

本文僅探討免疫系統對抗病毒感染時所使用的一般共通防禦機制。對於不同種類之病毒，免疫系統往往會根據其感染的組織、細胞的差異，發展出不同的調節機制。某些病毒（如感冒病毒）會以改變表面抗原的方式，規避免疫系統的攻擊；有些病毒發展出與免疫細胞上相似的調節分子，來抑制正常的免疫反應；亦有些病毒（如HIV）會直接攻擊免疫細胞，進而造成宿主後天的免疫缺陷。此外，關於宿主免疫細胞對病毒顆粒表面辨識的分子機制與調控，目前亦尚未完全釐清。這些最新研究的成果，預期將會提供設計新一代抗病毒治療策略時的新方向。

34 身體如何抵抗入侵的黴菌和寄生蟲？

蕭孟芳（弘光科技大學營養醫學研究所教授）

前言

有些黴菌如白色念珠菌與肺胞子菌，寄生蟲如弓形蟲，都是伺機感染的微生物，當人體免疫狀態正常運作時，並不會致病。但當人體免疫機能出現異常時，尤其處於免疫妥協（讓步）狀況下（「免疫妥協」意為免疫防衛機能失效，與外來入侵物妥協並讓步），這些投機分子就會變成致命的入侵者。

人體靠免疫系統對抗入侵的黴菌和寄生蟲，免疫系統是否健全、入侵者毒力之強弱，以及宿主對入侵者之免疫反應是否恰到好處，決定著感染是否致病。過與不及的免疫反應，均會對宿主造成傷害。人體免疫系統有一套複雜的機制對抗黴菌和寄生蟲感染，以清除致病原；而致病性黴菌和寄生蟲也有聰明的策略，應付宿主免疫反應，以求生存繁殖。

黴菌和寄生蟲感染的特色

黴菌和寄生蟲感染主要的特色，是抗原複雜多變，既具有專一性抗原，又具有共同抗原。共同抗原可見於不同的科、屬、種或株的寄生蟲之間，這種特點使免疫診斷產生交差反應（「交差反應」意為同時可與數種微生物產生作用而無區別能力），因而不具診斷專一性。此外，許多寄生蟲在完成其生活史的過程中，需有兩種（或以上）宿主參與，且寄生蟲在每一種宿主體內的成長及繁殖具有階段性，因而有**階段性抗原**。

例如瘧疾的致病原——瘧原蟲，其生活史牽涉到兩種宿主，瘧蚊是確定宿主，而人則是中間宿主。在瘧蚊胃內（中腸），瘧原蟲之雌雄配子體受精形成合子，變成卵動子穿過中腸上皮，在中腸壁形成卵囊體（內含成千上萬的孢子小體），釋出的孢子小體游移至唾液腺，成熟而具有感染性。孢子小體經瘧蚊吸血而注入人體後，感染肝細胞，在肝細胞內進行無性分裂繁殖，變成分裂小體，從肝細胞爆裂釋出的分裂小體再侵入紅血球，開始其在紅血球週期無性生殖的重複循環，而有一部分則分化成配子細胞。分裂小體無論在肝細胞或紅血球內，均具有不同時期的階段性抗原，其代表的意義也不一樣。在肝細胞的分裂小體，其抗原具有被開發成有**預防致病潛力**的瘧疾疫苗，而在紅血球時期的分裂小體抗原，則具有被開發成有**治療潛力**的瘧疾疫苗。如果能進一步了解分裂小體變成配子細胞之分化機制，找出其階段專一性抗原，無論是應用藥物或疫苗以阻斷配子細胞的形成，都將是瘧疾防治上的偉大突破。

黴菌和寄生蟲感染的另一特色是慢性感染。慢性感染的結果是出現循環抗原，抗原持續刺激，不但非專一性免疫球蛋白大量增加，也會造成抗原抗體複合體的形成與堆積。非專一性免疫球蛋白可以大量增加，高達正常值的十倍以上，此常見於瘧疾、非洲睡眠病（又稱「非洲錐蟲病」）、利什曼症（感染利什曼原蟲[Leishmania spp.]的白蛉[sandflies]傳播的寄生蟲疾病）等慢性感染。為清除人體內過多的抗原抗體複合體，肝臟及脾臟的巨噬細胞及單核吞噬細胞，必須大量增生以應付之，因免疫病理作用而會有肝脾腫大症候群。更由於大量免疫細胞活化，誘發多株抗體產生，不但不具保護作用，反而還愚弄免疫

表1：人類主要寄生蟲感染對再感染之免疫力

病名	主要寄生部位	對再感染之免疫力
阿米巴痢疾	大腸	無效
梨形鞭毛蟲病	小腸	不完全
非洲錐蟲病（非洲睡眠病）	血液	無效
南美錐蟲病（恰加斯病）	巨噬細胞	不完全
利什曼症（黑熱病）	巨噬細胞	無效
弓形蟲病	巨噬細胞	不完全
瘧疾	肝細胞、紅血球	不完全
血吸蟲病	血液	不完全
淋巴絲蟲病	淋巴系統	無效
旋毛蟲病	小腸、肌肉細胞	不完全
線蟲感染	小腸、大腸	無效
條蟲感染	小腸、大腸	無效

系統，使免疫系統疲於奔命而耗竭，導致免疫系統受到抑制，降低人體整體的抵抗力。

非清除性（non-sterilizing）的免疫反應

黴菌和寄生蟲可誘導宿主對再感染產生部分免疫力，此種部分免疫力（或稱「半免疫力」）無法完全清除體內的寄生蟲，一旦藥物治療將體內殘存的寄生蟲殺死之後，宿主獲得的部分免疫力便隨之消失。此種非清除性之不完全免疫力，又有「帶蟲免疫力」（premunition immunity）與「伴隨免疫力」（concomitant immunity）之分。前者以瘧疾慢性感染之無症狀帶蟲者為代表，人體感染瘧原蟲後，當臨床發作停止後，血液中瘧原蟲數目（寄生蟲血症）較低，對再感染具有抵抗力，這種情況稱為**帶蟲免疫力**。後者以血吸蟲為代表，活的血吸蟲成蟲可使宿主產生獲得性免疫力，此種後天免疫力對體內原有成蟲不發生作用，成蟲可以繼續存活，但對再感染的童蟲具有某種程度的抵抗力，稱為**伴隨免疫力**。

然而，有些寄生蟲感染並無法使宿主產生有效的獲得性免疫力，例如引起非洲睡眠病的岡比亞錐蟲或羅德西亞錐蟲，具有抗原變異的能力，其可變異的表面醣蛋白（variable surface glycoprotein）基因，每隔數週就會更替表現，抗體的產生永遠落後於變異抗原的表現，抗體在清除舊有的蟲株之前，新的變異蟲株已產生，並繁殖取而代之，逃避宿主的免疫攻擊。此種慢性感染以抗原變異的方式持續刺激免疫系統，大量活化多株B細胞產生多株抗體，不但沒有保護宿主的作用，反而造成免疫抑制作用，降低人體對其他感染的免疫力。

引起內臟利什曼症（黑熱病）的杜氏利什曼原蟲，以無鞭毛型式寄生在巨噬細胞內，不但喧賓奪主，抑制巨噬細胞呈獻抗原的能力，而且無法有效活化第一型T輔助細胞，以致病人的細胞免疫力奇差無比，皮膚試驗對利什曼素之反應是陰性。而且，利什曼原蟲還會藉巨噬細胞做為擴散的交通工具，以轉移陣地。如不治療，常因併發症而死亡。藥物治療後，後天（獲得性）免疫力（遲發型超敏反應）才會出現。

阿米巴原蟲侵犯大腸，也常引發阿米巴肝膿瘍，但所誘導的免疫力無助於對抗再感染。

免疫逃避作用

有些寄生蟲能逃避宿主的免疫反應，而繼續發育、繁殖、存活。**免疫逃避最常見的方式是，寄生部位解剖學的隔離**（寄生所在之解剖學位置有助於寄生蟲逃避宿主免疫攻擊，並有利於寄生蟲存活），例如寄生於腸腔的蠕蟲（黏膜分泌型抗體的作用不大）、寄生於肌細胞內的旋毛蟲、巨噬細胞內的利什曼原蟲、弓形蟲等。而以囊壁或囊包的方式做保護層，如阿米巴肝膿瘍及包生條蟲囊包，均有阻絕與免疫細胞接觸的作用。

在演化過程中，寄生蟲已發展出一套更聰明有效的方法，逃避宿主的免疫反應，**即利用表面抗原的變異**，如非洲錐蟲表面醣蛋白及紅血球期的瘧原蟲抗原不斷更新，宿主已產生的抗體對新出現的變異抗原（蟲株）無法發揮作用。

某些寄生蟲的體表會產生與宿主組織抗原相似的成分，**利用分子模擬**（molecular mimicry），躲避宿主免疫系統的偵測。而有些寄生蟲會把宿主的抗原鑲嵌或包被在體表，**利用抗原偽裝**（antigen disguise）欺騙宿主免疫識別系統。例如曼氏血吸蟲童蟲表面可與宿主血型抗原（A、B）及組織相容複合體（MHC）相結合，使宿主抗體不能與童蟲抗原結合，逃脫免疫攻擊而存活。

寄生蟲也會使用金蟬脫殼之計，逃避宿主免疫攻擊。例如蠕蟲體表膜抗原與抗體結合後會脫落，膜抗原更新再生。這種情況亦可見於瘧原蟲環孢子小體蛋白質與專一性抗體結合而剝落，使宿主免疫攻擊無效。

寄生蟲可釋出可溶性抗原抑制宿主免疫反應。例如曼氏血吸蟲感染的病人，血液中有循環抗原，不僅會阻斷專一性抗體的作用，亦因免疫複合物之形成，而抑制嗜酸性白血球對童蟲之毒殺作用。此外，許多證據顯示，寄生蟲可產生免疫抑制因子，直接引起宿主全身或局部的免疫抑制作用。

免疫病理作用

黴菌和寄生蟲在宿主所誘導的部分免疫力，對抗再感染之保護力不足，相反地，當宿主再次接觸抗原或感染時，可能會出現異常的免疫病理作用，又稱「**超敏反應**」（hypersensitivity）。為方便討論，寄生蟲感染的超敏反應可分為四型，分別為即發型、細胞毒殺型、免疫複合物型，與遲發型。

■即發型

臨床症狀從輕微的局部性蕁麻疹，到嚴重的全身過敏休克。主要參與的免疫成員為肥大細胞與免疫球蛋白E。多見於蠕蟲感染，例如線蟲幼蟲在肺部循環時可引發羅佛氏肺炎（Loeffler's pneumonia），血吸蟲幼蟲感染會造成局部性皮膚炎，包生條蟲囊壁破裂會引發全身性過敏休克。

■細胞毒殺型

典型的臨床症狀是貧血。主要參與的免疫成員為吞噬細胞，與免疫球蛋白M及G。在黑熱病及瘧疾病人血液中，寄生蟲抗原吸附於紅血球表面，專一性抗體（免疫球蛋白M或G）與之結合，活化補體系統，破壞紅血球（溶血），是造成黑熱病及瘧疾病人貧血的原因之一。

表2：寄生蟲感染引發的免疫病理反應

病名	臨床症候	超敏反應
瘧疾	貧血	細胞毒殺型
	腎病症候群	免疫複合物型
利什曼症	皮膚型	遲發型
血吸蟲病	幼蟲皮膚炎	即發型、遲發型
	急性期	免疫複合物型
	慢性期（肝硬化）	遲發型
血絲蟲病	熱帶肺嗜酸球增加症	即發型
	象皮腫	遲發型
包生條蟲病	囊壁破裂引發休克	即發型

■免疫複合物型

臨床症狀包括充血及水腫。主要參與的免疫成員為抗原與專一性抗體結合成免疫複合物，沉積於局部或全身微血管基底膜，活化補體系統，產生趨化因子，動員並活化中性顆粒球，去顆粒化而釋出溶解酶，造成血管壁及其周圍組織損傷。血吸蟲急性感染造成全身性水腫，瘧疾及血吸蟲之局部性慢性腎絲球腎炎，是免疫複合物堆積於腎小球所引發的。

■遲發型

臨床病理變化以肉芽腫形成為特徵。主要參與的免疫成員包括單核吞噬細胞、巨噬細胞及T細胞等，為細胞激素（cytokine）調控之慢性炎症反應。血吸蟲蟲卵肉芽腫是T細胞媒介的典型例子。利什曼素皮膚試驗若出現陽性反應，表示存在有細胞免疫力（第一型T輔助細胞反應），反之，則表示缺乏細胞免疫力（第二型T輔助細胞反應）。任何細胞內感染的寄生蟲（如利什曼原蟲、弓形蟲），若細胞免疫力不足，將會造成瀰漫性（全身）的感染。

寄生蟲感染的免疫致病機制中，可同時存在多種超敏反應，甚為複雜多變。例如血吸蟲病可同時存在有即發型、免疫複合物型、與遲發型等三種超敏反應。

結語

健全的免疫系統，包括體液免疫與細胞免疫兩大防線，兩者又可區分為先天（非專一）與後天（專一）。**體液非專一性**的成員主要有補體系統，**體液專一性**的成員則為抗體；**細胞非專一性**的成員主要是吞噬細胞（包括顆粒白血球與單核細胞），**細胞專一性**的成員則為T淋巴球。這些區分雖可明確角色各司其職，但彼此並非各行其是，而是分工合作，且交互作用，缺一不可。

理想的免疫反應應該是恰到好處的，必須是平衡的。既可以把入侵的黴菌和寄生蟲……等清除，對人體自身也不會造成傷害，所留下的記憶具有免疫專一性，可以預防再感染。許多病毒與細菌的感染具有這種特性，但致病性黴菌和寄生蟲的感染，則無一例子具有這種特性，**主要的原因是黴菌和寄生蟲是比較高等的微生物，生活史複雜，抗原多樣且變異大，可以逃避宿主免疫反應的攻擊，甚至愚弄宿主的免疫反應，不讓宿主產生具有記憶的專一性免疫反應**，這是人體受到黴菌和寄生蟲感染時，無法產生有效免疫反應的特徵，也是何以迄今沒有疫苗可以有效地預防黴菌和寄生蟲感染的原因。人體感染黴菌和寄生蟲，若未經治療，往往會變成慢性感染，或引發超敏反應（hypersensitivity），產生免疫病理病變，造成宿主器官功能失調、系統障礙，甚至死亡。

35

關節痛與關節炎

賴振宏（國防醫學院內科學系教授）

緣起

一位20歲的妙齡女子，因左腳大腳趾關節腫痛而到內科急診就診，經風濕免疫過敏科的醫師詳細檢視後，告知她有左腳大腳趾關節炎，少女感到十分的訝異，頻頻追問「什麼是關節炎？」「我為什麼會得關節炎？」在經過醫師詳細解釋她得到的可能是何種關節炎後，她還是一頭霧水，那種「有聽沒有懂的表情」，至今仍讓人印象深刻。

霧裡看花

窮我們這一生，一定或多或少都經歷過關節疼痛的經驗，輕者如腳扭到、摔傷，重者如一些病症合併發生的一處或多處關節炎。「關節」二字，一般人並不陌生，但說實在的，在大內科所包含的八個細分科室中，「風濕免疫過敏科」的學問最大，必須唸的書也最多，但也是一般社會大眾（包括一般醫師）最不容易摸索了解的一門學問。「關節」一詞指的是骨頭與骨頭交接的地方，它包含滑膜、關節腔、肌肉附著在骨頭的地方、韌帶……等。風濕免疫過敏科的醫師除了要照顧關節，其他關節以外的部位，除骨頭（屬骨科）外的所有通稱為軟組織的地方，都是這一科診治的項目和範圍。

那一般所謂的「關節痛」和「關節炎」到底有何不同呢？為什麼叫關節痛而不叫關節炎？其實這兩種疾病有著相當大的差距。區分關節痛和關節炎，對風濕免疫過敏科的醫師來說，是最重要的工作。如同前述，關節痛是每個人或多或少都會有的經驗，但關節炎則不然，關節痛的病人中只有約10%至20%的人會有關節炎的問題。換句話說，**亦即有關節痛不一定有關節炎，但有關節炎一定有關節痛**。

醫師在檢視病人關節時，測知紅、腫、熱、痛的是否存在，是四個最重要的指標。**紅**，即關節表面呈現紅色，此乃因關節發炎而使表面組織血液循環增加、充血所致；**腫**，表示發炎的關節內有積水或發炎關節周遭的軟組織增生、肥厚，而表現在外觀上便是腫脹的現象；**熱**，以手背的觸感，可感到關節表面的溫度上升，這點不難在比較其他正常關節表面的溫度後察覺出來；**痛**，只是一種患者主觀的感受，目前很難用科學的方法探測出來。這紅、腫、熱、痛四字，便是醫師用來判斷到底是關節痛還是關節炎的最主要依據。其中紅、腫、熱、痛依排序可想而知，痛雖然最困擾患者，但在醫師的檢查上，是最不具參考性的。換言之，痛是最不值得重視的依據。蓋紅、腫、熱，醫師可憑經驗和科學的方法偵測出來，比如用手去感覺溫度，用皮尺去量關節腫脹的大小，和用眼睛比較發炎的關節和正常關節的顏色等。但痛則只有患者本身可以感覺出來，因此，痛是最難以評估的一項證據，換句話說，一樣的問題所導致的疼痛，有些人可以呼天搶地的哀號，有些人卻不以為意。其中的差別，還牽涉到相當複雜的心理因素。因此，**關節炎表示關節除了有疼痛以外，也會有紅、腫、熱的現象，而關節痛則只有疼痛的症狀而已，不會出現紅、腫、熱的情形**。

在治療上，對於**關節痛**的患者，除盡可能找出病因，並以支持的療法如藥物或復健外，不需要花太多的精神或人力去處理，過一段時間，症狀便會自然痊癒，而且不會留下任何後遺症。相反的，對於**關節炎**的發生則不能掉以輕心，必須很詳細的檢查，確實找出關節炎發生的原因，並予以適當且積極的藥物治療，如此，方能將關節炎的傷害程度減到最低，進而保有較完整的關節功能，不致造成日後關節功能的障礙而不良於行。

此外，一旦發生關節炎，很多時候，身體關節以外的器官或組織也可能發生病變，如肺、心臟、腎臟、血管……等。因此，如何從單純的關節炎，找出其幕後潛在的病因，就必須由風濕免疫過敏科的醫師來執行了。

揭開廬山眞面目

一旦確定有關節炎之後，醫師會仔細分析以下幾種情況：

■是單一或多處（即超過兩個以上的關節）的關節炎

一次一個關節發生關節炎，與一次兩個以上的關節發生關節炎，具有相當不同的意義。有些疾病如細菌感染所引起的關節炎，或初次引起的痛風性關節炎，這些疾病多半表現出**單一**關節炎。如果發作時一次**有好幾個關節一起發生**關節炎，在這種情形下要考慮的因素就多了，嚴重者如類風濕性關節炎、全身性紅斑狼瘡及其他的自體免疫疾病；輕者如一般病毒感染時，合併發生的多發性關節炎，都有可能。

■關節炎發生的部位

除了關節炎發生時的數目外，發生的部位也是相當重要的。這是醫師在做鑑別診斷時必須納入考慮的。比如手指遠側端指骨間的關節發生關節炎，多半考慮如「**退化性關節炎**」，或血清陰性關節炎像是「**乾癬性關節炎**」；又假如關節炎是發生在手指近側端指骨間的關節或手腕關節、肘、肩關節等，則必須想到如「**類風濕關節炎**」或「**全身性紅斑狼瘡**」等疾病。又如「**痛風性關節炎**」，典型好患的部位是大腳腳趾關節、踝關節或膝關節等。雖然手指遠側端指骨間的關節，也可能因為尿酸結晶的沉積，而引發痛風性關節炎，但一旦發生這種情況時，這時泰半其他典型痛風性關節炎好患的部位早已侵犯或出現過，對於疾病的診斷自然一目了然。因此關節炎發生的部位，在判斷病因上是相當有幫助的。

■關節炎發生時間的長短和其頻率的多寡

有些關節炎發生時只有2至3天，或最長不超過一個星期的時間，一旦2至3天的時間一過，關節炎自然好轉（紅、腫、熱明顯消退，儘管仍有輕微的疼痛），這種關節炎常見於「痛風性關節炎」，和「遊走性風濕症」（又稱「復發性風濕症」），這些短暫性關節炎的特徵是，**比較少會合併有全身組織或器官的侵犯**。另有一些關節炎發生時，時間長達數個月或數年之久，**這多半表示是自身的免疫系統發生了嚴重的問題**，不能等閒視之。

■關節炎發生合併晨間僵硬時間的長短

一般關節僵硬多發生在固定一個姿勢時間太久，以致於發炎的關節液無法平均分布在整個的關節。一旦僵硬後，必須讓關節活動一段時間，僵硬的情形才能獲得改善。**於是從活動開始到僵硬的情形獲得改善所需的時間，便關乎著關節炎的程度**。一般因年紀老化隨之而來的「退化性關節炎」，所需的活動時間約只要5至10分鐘，關節僵硬的情形便會獲得改善，而「類風濕關節炎」患者所需的活動時間，往往要超過一個小時，關節僵硬的症狀才會緩解。

■關節炎的併發症狀

關節炎的發生往往不是單一的問題，其他的併發症狀表現如發燒、出疹子、臉上出現紅斑、過量的掉頭髮、耳朵紅腫、腹痛、眼睛紅怕光、眼睛乾澀、口腔潰瘍、四肢水腫……等，一些全身或局部的症狀，**這些症狀的出現對疾病的診斷也會提供相當有用的幫助。**

蓋棺論定

從關節炎的發生到最後的診斷，除了從關節炎的特徵（如發生的部位及多寡、發生的頻率和時間的長短，和關節僵硬時間的長短等）和關節炎的併發症狀做綜合的判斷外，醫師也會申請一些特殊的檢查，如血清免疫抗體的測定，X光照相以判定關節破壞的程度和特徵，關節液的抽取和化驗，血液和尿液的檢查，組織切片的化驗（如肌肉、腎臟、皮膚或其他組織），血管攝影，電腦斷層及核磁共振的檢查……等等，最後根據所獲得的所有相關資料提出一個確切的診斷，也據此，施以最適當的治療。

後記

關節炎的發生可以是輕微的，也可以是嚴重的，雖然一些消炎止痛的藥物可以讓關節的疼痛獲得緩解，但病情也可能因此而被遮蓋下來。如此，對疾病的診斷和適當的治療非但沒有幫助，反而有害。因此，一旦有關節炎的發生（紅、腫、熱、痛），最好盡快去拜訪風濕免疫過敏科的專科醫師，進而把引起關節炎的病因找出來。如果是小問題，如痛風性關節炎，便不須太過緊張；但若是有其他的大毛病，如類風濕性關節炎、全身性紅斑狼瘡，或其他的自體免疫疾病，則必須盡早接受一些免疫的藥物治療，以免關節炎導致關節的永久破壞，以致無法復原，或對身體的組織器官引起致命性的病變，而後悔莫及，這是不能不深思的。

36 關於先天性免疫缺損

李文益（林口長庚醫院兒童過敏氣喘風濕科主治醫師）

前言

目前已知先天性免疫缺損（primary immunodeficiency diseases，簡稱 PIDD or PIDs），是人體各類免疫細胞，因發展、成熟及活化的過程失控，而使患者對抗外來病菌的專責免疫細胞失職，因而引起各種感染。

先天性免疫缺損的警訊

孩童

1952年，美國PIDD基金會，曾經提出十種關於孩童先天性免疫缺損患者的臨床表徵，此十大警訊（ten warning signs）包括：

1.一年中有八次以上新發耳部感染。

2.一年中有二次以上嚴重鼻竇感染。

3.抗生素持續使用二個月以上無效。

4.一年中有二次以上細菌性肺炎感染。

5.嬰兒的體重不增加或體重異常（在正常的3%以下）。
6.再發深部皮膚或器官膿腫。
7.一歲後持續有鵝口瘡情形。
8.凡是感染，皆需以靜脈注射抗生素，以清除感染。
9.二次以上深部感染，包括：腦炎，腦膜炎，筋膜炎，肝脾膿瘍，骨髓炎，關節炎。
10.有先天性免疫缺損家族史。

上述這些警訊並無年齡限制，最常見的缺損是common variable immunodeficiency（常見變異易型免疫缺損, CVID），西方人種有2／3是發生在青春期後；而且一些特殊的先天性免疫缺損，也常在成年後才發病；至於在台灣，這些疾病很少被確認並給予適當的醫療，非常可惜。

■成人

成人的PIDD，有六項警訊。包括：
1.在一年內有四次以上需要抗生素治療的感染（中耳炎、鼻竇炎、支氣管炎、肺炎）；
2.反覆性感染或感染需要延長抗生素治療；
3.二次或以上嚴重細菌性感染（骨髓炎、腦膜炎、敗血症、蜂窩組織炎）；
4.三年內二次或以上X-ray確認的肺炎；
5.不尋常的位置或菌種的感染；
6.有PIDD的家族史；

免疫細胞缺損可能導致的感染

至於哪些免疫細胞會發生失職的情形？包括innate immunity（與生俱來的免疫力，如PNN多核球細胞、NK cell殺手細胞、complement補體）或是adaptive immunity（適應性免疫力，如T-cell、B-cell）：以下將針對各類免疫細胞缺損，所可能導致的感染，一一說明：

■與生俱來的免疫力（Innate immunity）缺損

- **多核球細胞缺損**：嬰兒在出生後，常會有感染發生，特別容易有catalase（過氧化氫媒）抗自由基毒殺的病菌感染（包括Staply. aureus; Serratia; E. coli; Aspergillus），因而造成膿瘍、淋巴腺炎、傷口癒合不佳、臍帶脫落延遲、慢性齒齦腫脹、牙周病變及黏膜潰瘍等情形。
- **殺手細胞缺損**：常合併其他先天性免疫缺損：若是單一殺手細胞缺損，則常造成嚴重反覆病毒感染，尤其是herpesvirus infection（人類皰疹病毒，包括EBV, 巨細胞病毒CMV, 水痘varicella, 單純皰疹herpes simplex virus）或惡性癌化病變。
- **補體缺損**：其發病時間不一，大致可分成以下三類：

  1.傳統途徑

  包含補體C1 q、C4及C2；缺陷時，常伴有紅斑性狼瘡（lupus）及風濕性關節疾病發生。

  2.主軸途徑（pivotal pathway）

  包括補體C3及末端的補體C5-9；其中C3缺陷，雖然較為少見，但早期發病時，容易常犯革蘭氏陽性G（+）及包膜性細菌感染（encapsulated bacteria infection），包括肺炎球菌（S.

pneumoniae）及流行感冒嗜血桿菌（Hemophius. influenzae）；有些補體C3缺陷，甚至會有全身性紅斑狼瘡（SLE）的臨床症狀；而在末端中的補體防禦素C5, C6, C7, C8及C9缺乏時，也會較容易感染奈瑟氏菌（Neisseria）、腦膜炎雙球菌的腦膜炎（meningococcal meningitis）、敗血症（sepsis），以及侵襲性淋病（invasive gonocccal disease）。

3.替代的途徑（alternate pathway）

包括補體C3b、B及D的相關因子；缺乏時，也會常見侵略性淋病發生。如果新生兒的C3b（heat-labile）較低，則會降低白血球對一些細菌的噬菌功能。

另外，C1 inhibitor gene（SERPING1, C1NH基因）缺損時，會引起反覆性血管水腫（hereditary angioedema）（臉、手、腳或腸胃道），如果發生在喉嚨時，則會因窒息而死亡；Mannose-binding protein（MBP）的某些特定突變，也會增加皮膚或是肺部感染。

■適應性免疫力（Adaptive immunity）缺損

- B細胞：血液中的免疫球蛋白，主要是由骨髓中漿細胞（plasma cell）產生IgG, IgA, IgM, IgE及IgD；血中濃度佔率分別為IgG 75%，IgA 15%，IgM 10%，IgD 0.2%及IgE 0.004%；其中IgG是對付細菌侵犯的抗體，IgA主要存在呼吸道及胃腸道中，專門對抗呼吸道及胃腸道的感染，IgM具有抵抗病毒性感染的功能，而IgE則是與過敏病或寄生蟲相關的抗體；這些抗體中，只有IgG是可以經由胎盤傳遞給嬰兒的，在胎兒8星期大時，就有來自母體的IgG，新生兒在出生時，由母親處得來的IgG抗體值，可能與母親抗體相等，甚至高於母親抗體的5%至10%，如此嬰兒才有足夠的

IgG抗體，以用來對付細菌感染。至於B細胞缺損的病童，其可能出現的症狀包含反覆性鼻竇、耳朵、肺部帶有核膜菌種（encapsule）的細菌感染或敗血病，慢性及反覆性腸胃炎（Giardia或enterovirus）、慢性腸病毒、腦炎、關節炎及不明原因的支氣管擴張。

- **T細胞**：主要是控制病毒及黴菌的感染，並幫助B細胞有效地產生抗體；當巨噬細胞（macrophage）或樹狀突細胞（dentritic cells）開始攻擊病原（pathogen）時，T細胞會使外來的病原（抗原）退化（degrade），然後呈現在T-cells的細胞表面上（cell surface）；因而引發T細胞及B細胞分泌cytokines（淋巴激素），也可使B細胞成熟。因此T細胞若發生缺陷時，可能在臨床上會合併T細胞及B細胞缺陷；除了合併B細胞缺陷的臨床症狀外，T細胞缺損的病童還會出現肺囊孢感染、黴菌感染、慢性拉肚子、類排斥反應（皮疹、不正常肝功能上升）、反覆性特別嚴重及不尋常的病毒感染。

先天性免疫缺損的診斷

目前對於先天性免疫缺損患者的治療，**首先要從臨床觀察做起**，醫師會依據免疫細胞缺陷，所引起的臨床表徵，針對個別的免疫細胞進行功能分析，以確定個別免疫細胞的功能缺陷，再給予補強，免去反覆感染的痛苦，以期讓患者能有正常的生活品質。

先天性免疫缺損的治療

在治療上是根據個別缺損的免疫細胞，一一給予不同的醫療措施，比如嚴重型T及PMN（多核球細胞）功能缺損，除了給予預防病毒、黴菌或細菌的抗生素外，還會考慮幹細胞移植（幹細胞可從骨髓或是臍帶血而來）；至於基因治療雖已進行20多年，但其無法預期的癌化病變，至今還未能完全克服。

截至目前已經分類的先天性免疫損有216種，當中有確立基因缺損的有110種，如可能性聯遺傳（X-linked）、自體顯性及隱性遺傳；對於不幸帶有致病基因的患者，應做好產前基因檢查；若是嚴重型的胎兒，父母可依優生保健法，予以合法終止懷孕；或選擇出生後，在未反覆感染前，即進行幹細胞移植，都能有相當高的成功率。

至於B細胞缺損病童，也應給予規則性免疫球蛋白；若有支氣管擴張的病患，則建議應給予略高劑量的免疫球蛋白輸液（0.8 mg/kg/dose per month），以及預防性抗生素，以減少支氣管擴張的惡化。

37

非先天性免疫力缺乏疾病

陳茂源（台大醫院內科部主治醫師）

免疫力原本正常的人，為什麼會導致免疫力下降、不足，甚至變成幾乎完全沒有免疫力？其原因不外乎免疫細胞減少或其功能受到抑制，以下特別介紹幾種常見的免疫力異常的相關疾病，提供參考：

全身性紅斑狼瘡

全身性紅斑狼瘡又稱為「系統性紅斑狼瘡」，其原文意指全身各器官均可被侵犯，故以稱為「全身性紅斑狼瘡」為佳；此病常出現補體缺乏、中性白血球減少及淋巴球減少的情形，也就是說身體對抗微生物的能力已發生問題，再加上病情嚴重的患者，必須給予大劑量的類固醇或癌症化學治療藥物，甚至兩者併用，**使得免疫力受到嚴重抑制，因而增加細菌感染的機會**。

每年因罹患全身性紅斑狼瘡，而不幸過世的患者，有一部分便是因嚴重感染所致；目前已知較常見的感染包括非傷寒型沙門氏桿菌、隱球菌腦膜炎及結核菌等。因此針對全身性紅斑狼瘡的治療，必須特別小心感染的問題，尤其在病情緩解期，即應調降劑量，因為低劑量類固醇（每公斤體重<0.5mg）並不常見感染的問題。

器官移植

對於某些器官衰竭患者而言，如果不做器官移植是無法存活的，例如肝臟衰竭、心臟衰竭、呼吸衰竭等；而幸運獲得器官捐贈的患者，在接受移植手術後，宿主的免疫系統會將移植進來的器官視為外來物，而加以攻擊，因此為了避免移植器官再度受損，必須使用藥物抑制宿主的免疫力；**但藥物的使用雖然達到保護移植器官的目的，卻也付出免疫功能不全的代價**，這類的患者，不像全身性紅斑狼瘡患者可減藥或停藥，免疫抑制藥物的使用屬於長期性，只要移植器官的運作功能沒有停止，免疫抑制藥物也就不能停用，因此病患會一直處於較易受到感染，以及可能罹患腫瘤的風險中。

腫瘤

某些類型的腫瘤，固然可以手術切除或電療控制，但有些癌症，如血癌、淋巴腺腫瘤或已轉移的癌症等，則必須以化學藥物治療，才能發生效用；使用化學藥物的主要目的是在殺死生長快速的腫瘤細胞，**但對汰換較快的正常細胞，如造血細胞、腸黏膜細胞等，同樣具有殺傷力**；因此患者在接受化學藥物治療後，常會出現白血球數目掉到500/mm^{3}以下的情形，此時病患如果有發燒狀況，抽血培養常常養出細菌，嚴重者還會因敗血症而死亡，所幸白血球數目在生長激素使用後很快會回升，因此免疫力缺乏通常只是短暫的。

糖尿病

台灣糖尿病患者的數目，遠超過全身性紅斑狼瘡、器官移植等病患，幸好糖尿病患者的免疫力缺損，並未像上述免疫力不正常者嚴重。根據糖尿病患者的免疫研究，**發現其白血球吞噬細菌的能力變差，且免疫調節細胞分泌中介質誘發發炎反應也減少**，不過並非所有專家都認為糖尿病有免疫不全的問題。

糖尿病若控制不佳，有部分病患會變成腎衰竭，需要接受長期洗腎治療；而腎衰竭患者體內高濃度的尿毒素，有免疫抑制的可能，也會增加細菌感染的機會；此外因神經病變造成膀胱積尿，不僅容易尿道感染，感覺神經病變還會導致手腳容易受傷，以及血液循環不良，導致傷口不易癒合等情形，這些都會使感染機會增加。

後天免疫不全症候群

後天免疫不全症候群即我們俗稱的「愛滋病」（AIDS），又被稱為二十世紀黑死病的後天免疫缺乏症候群，諷刺的是，此症候群在人類宣佈已戰勝天花病毒時開始流行；一般相信其病毒是由非洲散佈出來，並非人類特有，因為研究發現，黑猩猩等靈長類也有類似的病毒存在。

自1981年首度報導此一病毒感染迄今，全球已有數千萬人被感染，由於病毒是慢性持續性感染，因此被感染者可長期感染他人；幸好1983年底此病毒被培養出來（2008年諾貝爾醫學獎得主——法國巴斯德研究所蒙大尼爾，此外美國國家癌症中心羅勃蓋洛也同時發現此病毒），方便醫學界利用病毒抗原測驗抗體，得以診斷出被感染者，避免病毒的擴散。

由於後天免疫不全病毒會感染CD4T淋巴球，此類血球是產生抗體及殺手細胞，以控制感染所必需的血球，若一旦遭受病毒破壞，後果可想而知；此病毒感染人體時，被感染者會產生抗體及細胞免疫力對抗，但病毒卻很聰明的偽裝自己，使這些免疫系統失效，因此得以慢性感染人類。由於病毒攻擊的對象正好是免疫系統，長期下來，防線終於崩潰，此時各種微生物若進入人體，即可為所欲為；此外，免疫系統也與某些腫瘤有關，因此愛滋病患也容易產生淋巴腫瘤、卡波西式肉瘤等。後天免疫不全症候群從急性感染到最後病發，可長達十年，致命率更高達九成，無怪乎人人聞之色變，幸好目前醫界所採用的**雞尾酒療法**，已能控制病毒，不過患者必須一直服藥不能間斷，才能真正產生效用。

其實後天免疫不全症候群，其病毒感染是可以避免的，而且方法簡單；台灣目前的愛滋病患者，多是因同性（男）或異性間的不當性行為而遭到感染，其次是因靜脈毒癮注射，所以**安全的性行為，是目前預防愛滋病，很重要的宣導項目**；因為使用毒品而感染愛滋病者，在2008年已減少至數百人，但因不當性行為而遭受感染者，今年仍較2008年增加，且人數超過10%，累積至今台灣已有超過一萬六千人是已知的被感染者，至於已被感染但不自知者則更多，若不加以篩檢，並給予治療的話，將成為後天免疫不全疾患裡，最嚴重且最常見的一群。

38

生物製劑在自體免疫疾病方面的臨床應用

周昌德（台北榮民總醫院過敏免疫風濕科主治醫師）

什麼是自體免疫疾病？

自體免疫疾病是一種人體內自己的免疫系統攻擊自己正常細胞的一種疾病：進一步解釋，意即正常人體的免疫系統扮演著防禦和清除的機轉，防禦即是對抗外來的致病源，清除則是除去體內不正常的細胞，但在某些情形下，免疫系統可能會產生出對抗自己身體內正常細胞的抗體，造成不正常的過度發炎反應，或是組織傷害，進而影響身體健康，因而造成疾病發生。

自體免疫疾病的種類

目前已知自體免疫疾病種類相當多，從侵犯關節為主的類風濕關節炎到多種器官被波及的血管炎，都屬於自體免疫方面的疾病。在門診或住院的病患中，較常見的為類風濕關節炎（RA）、僵直性脊椎炎（AS）、乾癬關節炎（PSA）、潰瘍性大腸炎或克隆氏（Crohn's）病變、貝塞氏疾病（Behcet's disease），及各種侵犯大、中、小血管所引發的血管炎（vasculitis）。當然，其他像是系統性紅斑性狼瘡（SLE）、多發性肌肉炎（PM）、皮肌炎（DM）、硬皮症（PSS）及混合結締組織病（MCTD）等，也都歸屬於自體免疫疾病。

早期診斷出自體免疫疾病的重要性

各種疾病的診斷，想在早期發現，有時的確很困難，比如自體免疫疾病的患者半年內僅有1至2個關節遭受侵犯，醫師便很難立即確定診斷；此時，必須藉由實驗室檢查，才能早期偵測出是否為某種免疫疾病；譬如測定血中類風濕因子（RF），若結果為陽性，可再加做最新的Anti- CCP抗體檢查，如果Anti- CCP檢查結果仍屬陽性，即可確定病患有類風濕關節炎的產生。

再以其他病徵為例，如果是**年輕的下肢關節炎患者**，檢查時出現HLA-B27基因，則需要優先考慮是否為血清陰性脊椎關節病變，例如僵直性脊椎炎或乾癬關節炎的可能性；另外，**年輕女性患者**，如果發現有不明原因的關節炎，可檢測血中Anti- DNA及Anti- Sm抗體，若其中一種為陽性，則需考慮是否為系統性紅斑狼瘡。

至於為何早期診斷上述疾病如此重要？因為包含僵直性脊椎炎或乾癬關節炎等各種關節炎，**如果超過治療的黃金期（從發病開始之後的2至3年）才被篩檢出來，部分病患的關節可能已嚴重磨損、破壞及變形，甚至可能變成殘障**。

自體免疫調節劑，改善了類風濕患者的生活

1980年以前，對於自體免疫疾病並未有特殊治療藥物，然而1980年以後，免疫調節劑methotrexate、plaquenil及salazopyrin陸續在臨床上使用，也發現其效果可控制70%至80%類風濕關節炎病患的症狀。一直到十年前醫界有了新突破，研究出腫瘤壞死因子（簡稱TNF-α）抑制劑問世，**此類藥物經臨床證明的確能有效控制關節發炎，且顯著地減少關節破壞變形**；換句話說，如果能及時給予患者使用腫瘤壞死因子抑制劑，特別是針對早期嚴重症狀但尚未有關節破壞的關節炎患者，其意義將更加重大。

什麼是腫瘤壞死因子抑制劑？

近二十年的研究，已明確瞭解由身體內單核細胞（macrophage）產生的腫瘤壞死因子，為一重要前驅促發炎反應的重要細胞激素，它可以活化許多與發炎相關的細胞或組織，促使其釋放其他的發炎物質，如第一介白質（IL1）、第六介白質（IL6）、蛋白溶解酶（MMP3）、膠原纖維酶（collagenase）及趨化蛋白等（圖1）；這些發炎物質除了造成組織發炎外，還可能進一步破壞關節、軟骨等結構，而引發關節變形、扭曲、殘障等情形。

在人體及動物實驗中，研究者發現了類風濕性關節的滑膜組織及關節液內可出現高量的腫瘤壞死因子；比利時、荷蘭等國的學者，也在人體實驗中證明，當類風濕關節炎患者，**使用腫瘤壞死因子抑制劑後，在類風濕關節炎病患中，原先聚集大量的發炎細胞、發炎介質等，都在幾星期後明顯地減少或消失**。此項研究間接證明了生物製劑，如腫瘤壞死因子抑制劑，為何可在短時間內能強而有力治療嚴重的類風濕關節炎。

●圖1：腫瘤壞死因子的一體兩面

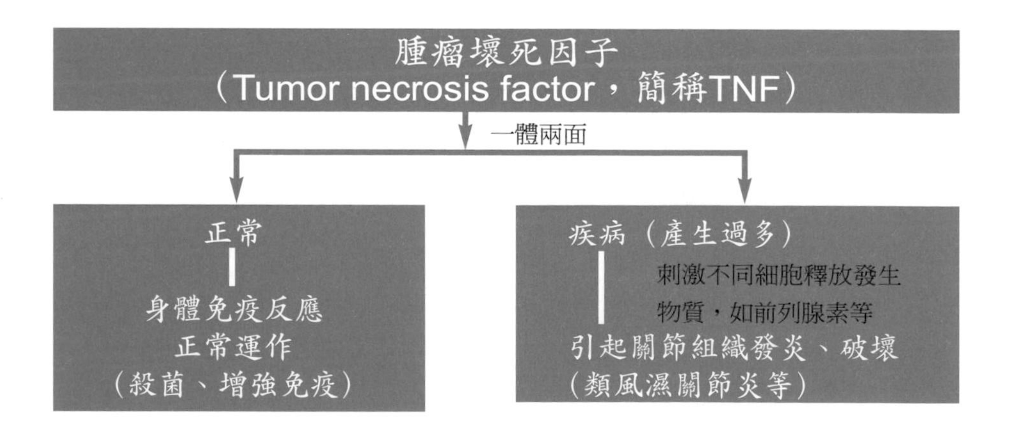

腫瘤壞死因子抑制劑的種類及功能

目前腫瘤壞死因子抑制劑的種類及功能為何呢？目前經過美國食品及藥物管理局FDA承認的三種腫瘤壞死因子抑制劑中，最早使用的為「infliximab」，此為單株抗體，可結合腫瘤壞死因子抗原，但此單株抗體屬於人與鼠交叉結合的蛋白，且為血管注射，較易在人體內產生抗體，當然，經過較長時間的注射治療，藥效也會逐漸減弱（故有時需調整劑量）。以infliximab來說，目前仍是國外使用較多，國內則尚未正式開始使用；國內近年來，較廣泛使用的是非人鼠混合而純為人類蛋白成分組合成的單株抗體，此製劑為亞培藥廠所開發的「Adalimumab（Humira**復邁**）」，此藥物為皮下注射，每兩星期注射一次（2次／月），對病患較方便，且因不含鼠抗原蛋白，故較不易產生抗體。台灣近一年來，已開始陸續使用。

至於台灣使用時間較長（> 4年）的生物製劑，則為惠氏藥廠的「etanercept（enbral**恩博**）」（圖2）；此藥物不同於前二者為其結構非單株抗體，而為一腫瘤壞死因子之接受器（receptor）蛋白。它的主要原理是衍生於細胞上有腫瘤壞死因子接受器，如將腫瘤壞死因子抗原與腫瘤壞死因子接受器接合，可觸動細胞活化及後續發炎。假如給予外在合成的腫瘤壞死因子接受器（如恩博）等，則可將多餘有害的腫瘤壞死因子從血中移除，而使原先細胞與腫瘤壞死因子接合的機會減少，降低細胞活化及發炎的情況。

可惜的是，恩博因藥物半衰期短暫（72小時），故需每3至4天進行皮下注射一次（8針／月）；當然也因半衰期短，作用相對較前二者快。事實上，按照國外及個人的經驗，恩博注射兩星期左右，即可顯現不錯的效果，且病患血中的發炎指數如ESR、CRP等，也在兩星期左右看到明顯下降的趨勢。

●圖2：生物製劑「恩博」的作用

新一代生物製劑：Entanercept恩博

- Enbrel是第一個TNF接受體生物製劑，作用於發炎反應的起始階段
- Enbrel可抑制TNF的作用，從而幫助恢復體內的自然平衡
- Enbrel可阻絕關節損害

生物製劑的療效及副作用

雖然每一項新藥物的開發與運用，都有其潛藏的風險，但根據筆者在國內使用恩博治療類風濕關節炎已超過250個病例所做的觀察，加上國外近七、八年的報導，皆顯示生物製劑（包括恩博、復邁等），有持續且非常明確的臨床效果；**生物製劑除了能幫助改善臨床症狀，如減低關節發炎破壞、有效地預防或降低關節變形甚至殘障等，還能改善病患生活品質**。

不過因藥物太貴（37700元／月），類風濕關節炎病患如果想向健保局申請補助，必需符合國內類風濕關節炎使用生物製劑的規範，包括必須是嚴重的類風濕關節炎患者，且使用兩種以上的免疫調節劑甲胺蝶玲（DMARDs，如MTX等），半年以上未達明顯效果（疾病活性度分數DAS分數> 5.1以上），才有機會申請。僵直性脊椎炎或乾癬關節炎患者，目前亦可申請，但使用規範與類風濕關節炎不同。

事實上，近年來腫瘤壞死因子抑制劑不僅被應用在類風濕關節炎、僵直性脊椎炎、乾癬關節炎等關節炎患者，其他頑固性的免疫疾病，像是貝西氏症（Behcet`s disease）、多發性肌肉炎（polymyositis）、血管炎及狼瘡病合併嚴重血小板低下症等，都可接受此類藥物治療。只不過此類治療的臨床報告較少，仍有待時間去證明生物製劑在不同免疫疾病中所扮演的治療角色。

結論

任何藥物都有其好和壞的一面，腫瘤壞死因子在體內有其重要的生物功能，針對身體內潛在的感染菌，如結核菌、黴菌等，腫瘤壞死因子可活化單核球去吞噬；此外，腫瘤壞死因子也會促成體內形成一肉芽組織，將原有存在的結核菌包含其內，使其無法擴散，形成以後的肺結核或肺外結核。但當自體免疫疾病患者使用此腫瘤壞死因子抑制劑後，會將原先的肉芽組織破壞或使其無法形成，使得結核菌往外擴散，造成結核病。

近十年來使用生物製劑，最讓大家關心的即為此點。歐美等國家，結核病患原本較少，但因使用生物製劑後，結核病患卻明顯增加，即是證明；尤其血管注射的Infliximab，似乎較恩博更易發生此情況，故大部分歐美國家，在使用腫瘤壞死因子抑制劑之前，會先針對被治療的患者作結核菌皮下試驗（PPD），如超過五毫米，即列入潛在性結核病患者，必須先給予一個月以上的結核病治療，再開始使用生物製劑。反觀國內，未執行作此結核菌皮下測試，或另一種Quantiferon測試，都有可能在未來造成結核病患增加的機會，當務之急希望能立即改善。另外，腫瘤壞死因子抑制劑是否會增加罹患腫瘤的風險，此點尚無結論，仍須長期觀察，才能有明確的結論。

有關於類風濕關節炎及免疫病治療的突破，從早先的阿斯匹靈（Aspirin）、類固醇、第一代非類固醇抗發炎藥物（COX1）、免疫調節劑Methotrexate、endoxan、cyclosporine、cellcept、COX2到最近的生物製劑等，確實提供了病患良好的醫療照顧；但慎選藥物、何時使用、何種方式、何種劑量、使用多久等，都仍必須經由醫師及病患互相配合，才可將頑固的類風濕關節炎及免疫疾病做一有效控制。

39 葡萄膜炎

蔡明霖（三軍總醫院眼科部視力保健科主任）

什麼是「葡萄膜炎」？

葡萄膜炎，對大部份的人來說是一個很陌生的名詞，但對葡萄膜炎病患來說，卻是一生揮之不去的夢魇。**所謂的「葡萄膜炎」就是指眼睛的葡萄膜發炎**，而且此一發炎經常與病患體內的免疫狀態息息相關。眼睛的葡萄膜究竟位於眼睛的那個部位呢？簡單的說：葡萄膜就是「眼睛的血管層」，而此一血管層發炎，就是所謂的葡萄膜炎。

一般而言，眼球壁有三層組織，最外層為鞏膜（眼白），最內層為視網膜，夾在鞏膜與視網膜之間的，就是負責輸送營養到鞏膜及視網膜的血管層，此血管層富含色素，因此顏色黝黑，所以若把眼球外層的鞏膜去除後，露出之血管層因為大小與顏色和去皮後之葡萄相近，故稱「葡萄膜」；而當葡萄膜發炎時，就稱為「葡萄膜炎」。

葡萄膜根據其位置，由前至後可依序分為「虹彩」、「睫狀體」及「脈胳膜」三部份。當發炎的葡萄膜位在眼前部的虹彩，就稱為「虹彩炎」；如果發生在眼球中間部位，侵犯到睫狀體，就稱為「睫狀體炎」；如發炎的部位在眼球後部的脈胳膜，則稱為「脈胳膜炎」。

由於葡萄膜內含有豐富的血管可供許多重要眼球組織營養，因此葡萄膜一旦發炎，便可能會影響這些重要的眼球組織，例如角膜、視網膜、鞏膜、視神經的損傷，所以葡萄膜炎遠較其他常見的眼球發炎（如結膜炎、角膜炎）更容易影響視力，甚至失明。

造成「葡萄膜炎」的原因有哪些？

葡萄膜炎的成因複雜，任何會影響到血管的疾病皆有可能引起。葡萄膜炎之成因大致上可分成可治療性、可控制性及原因不明等三種。**可治療性**葡萄膜炎大多為感染性及腫瘤性疾病引起，感染性常見的有菌血症、黴菌血症、弓漿蟲、梅毒、疱疹性病毒等。腫瘤性有白血病、轉移性、或原發性腫瘤等，可治療性的葡萄膜炎若能找出病因對症治療，病人即可能完全治癒。**可控制性**葡萄膜炎經常與風溼免疫科疾病息息相關，例如僵直性脊椎炎（Anchylosing spondylitis）、類肉瘤症（sarcoidosis）、貝西氏症（Behcet's disease）、原田氏症、（Vogt-Koyanagi-Harada's disease）、青光眼睫狀體危象（Posner-Schlossman syndrome）、紅斑性狼瘡、類風濕性關節炎等，此類病人若能按醫囑治療，大多可以控制葡萄膜炎進程，避免葡萄膜炎併發症之產生，降低視力受損之機會。然而縱使病人經過詳細的檢查，根據國外統計，仍有將近一半病人找不出病因。然**原因不明**之葡萄膜炎仍要定期追蹤找出原因，筆者曾有不明原因葡萄膜炎病人在定期複診檢查兩年後，才發現病因是慢性淋巴性白血病，經治療後症狀緩解效果良好，因此診斷不可不慎。根據台北三軍總醫院眼科部對近兩年來院就診之葡萄膜炎病人所做的病因分析：感染性葡萄膜炎占15%、腫瘤性葡萄膜炎占10%、僵直性脊椎炎關聯性葡萄膜炎約占25%、此外其它風溼免疫科疾病相關的葡萄膜炎約占20%例如青光眼睫狀體危象、貝西氏症、原田氏症、類肉瘤症等。交感性眼炎、晶體性葡萄膜炎亦有零星發現。此外仍有約30%病人找不出病因。

●圖1：葡萄膜由前至後依序爲：
虹彩、睫狀體、以及脈絡膜

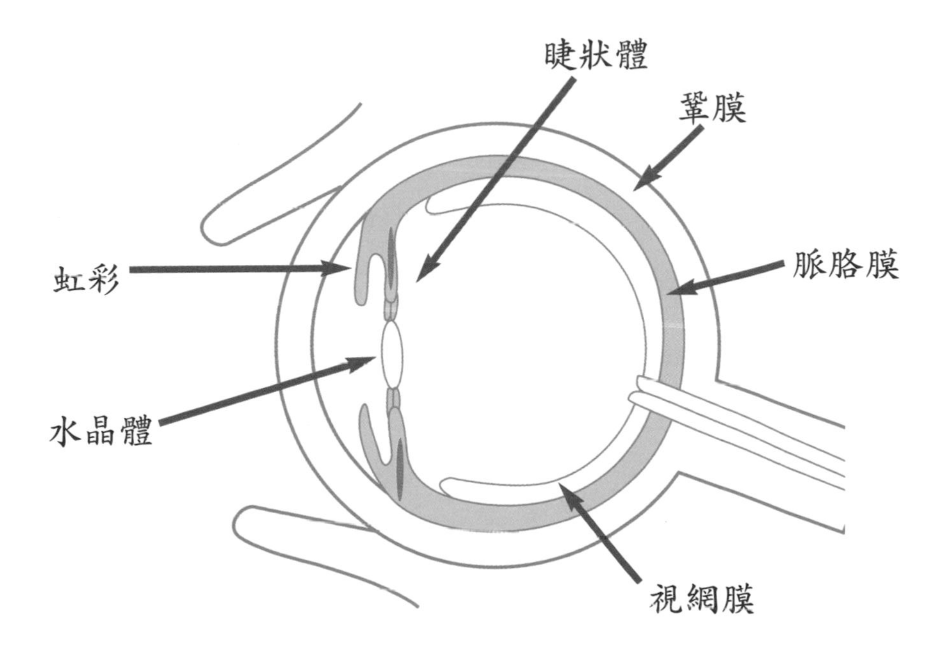

有哪些「葡萄膜炎」較爲常見？

葡萄膜根據其位置，可分成影響到虹彩或睫狀體的前葡萄膜炎（anterior uveitis），及影響到脈胳膜的後葡萄膜炎（posterior uveitis）。其中前葡萄膜炎約占60%至70%，後葡萄膜炎約占20%至30%，影響前後葡萄膜稱為全葡萄膜炎約占10%至20%。現將常見的葡萄膜炎依位置討論如下：

■前葡萄膜炎

現依三軍總醫院常見之可確定病因之前葡萄膜炎並依發生率的高低排序如下：

- **僵直性脊椎炎關連性葡萄膜炎：這是目前台灣地區最常見的葡萄膜炎。**僵直性脊椎炎主要症狀為下背痛、脊椎僵硬及運動範圍受限、X光有兩側薦腸關節炎（sacroilitis）。僵直性脊椎炎會造成嚴重的行動不便，也經常併發前葡萄膜炎；根據統計，在台灣僵直性脊椎炎病人總數約佔全台人口的0.2%至0.3%（約四萬至六萬人）。僵直性脊椎炎的患者，約有70%至85%病患其人類白血球抗原B27（Human Leukocyte Antigen B27; HLA-B27）呈陽性；而25%僵直性脊椎炎病患，會產生葡萄膜炎，因此不少僵直性脊椎炎的患者，是在眼科被檢查出的。僵直性脊椎炎關連性葡萄膜炎發生時，病程相當快速，病人會有怕光、眼睛痛、視力模糊等症狀，但常因上述症狀並不具特異性，因此常會和其他較不嚴重的眼疾混淆，如結膜炎、乾眼症等；如果此時延誤治療，可能會引起虹彩粘黏造成青光眼、白內障等併發症，最嚴重者可導致失明。所幸此病目前在診斷和治療都有很大的進步，若即時治療可大幅降低患者失明的機會，因此凡是有下背痛的患者，如果有怕光、眼睛痛、視力模糊及流眼淚等症狀出現時，應及早到眼科就診；此外如果是HLA-B27呈陽性的人，有以上的眼部症狀時更需提高警覺，以避免葡萄膜炎併發症產生，根據統計全台約有5%人口其HLA-B27為陽性反應！

- **青光眼睫狀體危象：此種葡萄膜炎年輕人較多**，因此本院門診常見。病人通常在虹彩炎的初期出現突發性的青光眼，由於突發性的眼壓升高源於負責排出房水的眼前房角之小樑網發炎，因此除需給予降眼壓藥物外，亦需給予抗發炎藥物如類固醇眼藥水降低眼前房角之小樑網發炎。青光眼睫狀體危象通常經數天至數週治療後大多可緩解。
- **感染性前葡萄膜炎**：細菌、黴菌、病毒及寄生蟲等，均可能經由血液造成眼前房發炎。而位於眼前房的感染性葡萄膜炎經常源於菌血症、霉菌血症；在病毒方面常見的則有單純性皰疹病毒、水痘皰疹病毒、巨細胞病毒、或免疫不全症狀群引起之機會性感染等；寄生蟲方面，有弓漿蟲等。此類病患需做詳細的理學檢查，必要時可抽取房水液進行檢驗，此外病人亦需向醫師詳述過去病史及感染史，方可在千千萬萬的微生物中找出感染原，對症下藥。**因為感染性葡萄膜炎若可找出感染因，病人有完全治癒的機會。**
- **紅斑性狼瘡關連性葡萄膜炎**：此種葡萄膜炎在臨床上並不常單獨產生，而是**由鞏膜炎所引起**。因此紅斑性狼瘡病人若有葡萄膜炎症狀，須詳細檢查鞏膜，此外視網膜亦需詳細評估，因為紅斑性狼瘡病人經常會有視網膜出血、視網膜血管阻塞情形產生。
- **類風濕性關節炎關連性葡萄膜炎**：此種葡萄膜炎在臨床上與紅斑性狼瘡關連性葡萄膜炎類似。大多數類風濕性關節炎關連性葡萄膜炎並不常單獨產生，**而是由鞏膜炎所引起**。因此類風濕性關節炎病人若有葡萄膜炎症狀，須詳細檢查鞏膜。此外類風濕性關節炎病人視網膜出血狀況並不多見。

■後葡萄膜炎

現依三軍總醫院常見之可確定病因之後葡萄膜炎依發生率的高低分述如下：

- **感染性後葡萄膜炎**：細菌、黴菌、病毒及寄生蟲等，均可能經由血液造成眼後房發炎。**細菌**有結核、梅毒、痲風等；**黴菌**以念珠菌為多；**病毒**則有皰疹病毒，甚至愛滋病毒引起之機會性感染等；**寄生蟲**方面，有弓漿蟲、犬蛔蟲及廣東住血線蟲等。此類病患需做詳細的理學檢查，必要時須作分子病毒學及培養檢查來確認病因。
- **原田氏症**（Vogt-Koyanagi-Harada disease）：原田氏症是一個全身黑色素細胞發炎的疾病，**其主因源於病患自己的免疫力攻擊病患本身之黑色素細胞**；由於葡萄膜、皮膚毛髮皆含豐富的色素，因此葡萄膜、皮膚毛髮，都是容易被侵犯的地方。此類病患通常有皮膚毛髮症狀，例如皮膚白斑，白頭髮，白眉毛發生，而且由於眼睛葡萄膜富含色素，因此病人兩眼會有複發性的葡萄膜炎，治療通常需要使用類固醇或免疫抑制劑治療，且治療期間須達半年以上來避免復發。
- **貝西氏症**（Behcet's disease）：貝西氏症經常會引起視網膜血管炎且復發率又高，因此容易影響視力，造成視力喪失。所以此貝西氏症過去在日本又被稱為「**五年就會瞎的病**」。貝西氏症好發於20、30歲的男性，90%病人會有複發性疼痛性的複發口腔潰瘍，此外病人亦會有疼痛性的生殖器潰瘍，而關節疼痛、皮膚結節性紅斑亦不在少數。貝西氏症若診斷確定其治療通常需要長期的免疫抑制劑來控制視網膜血管炎，而視網膜雷射可降低網膜出血及剝離的機會。
- **腫瘤性葡萄膜炎**：腫瘤性葡萄膜炎約佔所有葡萄膜炎病因之10%至15%。**轉移性的腫瘤皆有可能轉移至眼睛**，根據統計，10%的乳癌及10%肺癌病患皆有可能轉移至眼睛，其中以眼後房常見。此外白血病病患亦經常表現眼後房發炎現象，此類病患需做詳細的病理學檢查，病人亦需向醫師詳述過去病史，方可及時發現。核醫正子檢查亦可幫助腫瘤的篩檢與評估。

■無法確定病因之葡萄膜炎

葡萄膜炎與全身性疾病息息相關，特別是系統性疾病例如感染、腫瘤、或風濕免疫科問題。疾人可能先有眼部症狀之後再開始出現身體其它症狀，例如關節炎、皮膚炎、軟骨炎、肺部類內瘤等種種症狀。病人可能在出現種種相關徵兆後，方可確定診斷。所以病人之葡萄膜炎若無法確定病因時，更應定期複檢進行系統性檢查以期找出病因。

葡萄膜炎患者常問的問題有哪些？

Q1.我的視力會受到什麼影響？

A:大部份葡萄膜炎患者若早期就診，大多可以控制病情，但若延誤就醫，即有可能引發併發症，包括白內障、青光眼、黃斑部水腫、血管增生、視網膜壞死等。此時醫師仍會尋找適當的時機進行手術治療，以避免進一步的傷害，但若無法配合治療，後果相當嚴重，有可能引致永久失明。

Q2. 我需要抽血檢查嗎？

A:醫師會幫你做全身性的系統檢查，包括抽血、X光片及眼部精密檢查，以儘可能找出可治療性的病因，例如腫瘤或感染，因為感染性的葡萄膜炎可能在用藥後即永久根除。若懷疑腫瘤引起時可考慮作正子檢查以排除系統性腫瘤。

Q3. **我需要接受多久的治療？複診多少次？**

A:醫生會依據病因的不同為你安排複診的時間表，若病人為源於感染性或腫瘤性疾病之可治療性葡萄膜炎，病人可能於找出病因後，對症治療，即可治癒。若病人葡萄膜炎源於例如僵直性脊椎炎或類風濕性關節炎等風濕免疫科疾病，此時醫師會根據你的病情，進行檢查或調整你使用的口服或局部性藥物的劑量，而葡萄膜炎在獲得控制後，更需依醫師指示藥物減量，切記不可自行停藥或減量，因為自行停藥或減量會使葡萄膜炎複發機率大增，因為在沒有治療，或治療不足下之葡萄膜炎，患眼視力可能會受到永久損害。若病人為原因不明性的葡萄膜炎，此時病患藥物儘量以局部用藥為主，以避免影響全身性疾病的表現，而病人仍須遵循醫囑定時複檢以求找出病因及避免葡萄膜炎併發症的產生。

40

運動與免疫

余家利（台大醫院風濕免疫暨過敏科主任）

前言

先人的智慧告訴我們「養身要動，養心要靜」。無疑的，每天規律性的適度運動，會增強運動者的心臟及肺臟功能。但是對於免疫系統的功能是否也會有影響，至今仍有爭議。人體的免疫系統是個極端複雜的「網路」，由各種免疫相關細胞、發炎細胞，及存在於組織內的固定細胞，組成綿密的網路來發揮功能。而免疫網路又與神經網路及內分泌網路頻頻互動。因此，形成了類似「網際網路」的運作方式，以對抗外界相當險惡的環境，包括細菌、病毒、黴菌、寄生蟲、毒素、過敏原、化學汙染物及其他有害物質的侵襲，來保護人體。

運動是否會影響免疫功能？

多年來，運動專家與免疫學者做了很多「運動對免疫力的影響」的研究。得到的共識是：**規則且中等量的運動，可以降低感染的機率，而達到養生的效果**。但是持續性的劇烈運動（定義為每天進行1.5小時以上，會使最高氧氣攝取量達到55%至75%的運動強度），反而會增加運動者受到各種感染的機會。具體的數據是每天進行少於2小時的

●規律且中等量的運動，可以達到養生的效果

適當運動，會減少29%的呼吸道感染機會。與此對照，如果一位接受重度訓練的運動員，在訓練之後的數週內，可能會增加1至5倍的感染率。但是，這些論點都只是根據觀察所得到的描述性記錄。因此，要得到「運動是否會影響免疫功能」的結論，**仍需有更具體的科學證據，才能下定論**。

運動生理學所牽動的內涵相當複雜，不只是個體的動作而已。它包括了骨骼肌肉的收縮，呼吸系統的作功及氧氣的消耗增加，心搏加速，葡萄糖代謝的增加，精神壓力的增加，自律神經的亢奮，內分泌的旺盛，以及體組織的破壞增加……等。這些身體各器官組織及系統的加速動員結果，會使氧化壓力及氧化代謝物增加、應力性的荷爾蒙（如腎上腺素、類固醇……等）增加、骨骼肌產生的細胞激素（肌肉激素[myokines]以IL-6、IL-8及IL-15為代表），及脂肪組織的細胞激素（脂肪激素[adipokines]），以及發炎性細胞激素增加。另外，熱休克蛋白（heat shock protein, HSP）的產生也會增加。由於運動時血液循環及新陳代謝旺盛，會使脾臟細胞內的各種免疫細胞，及骨髓內較不成熟的白血球被釋放到血液循環內。**這些新陳代謝產物及免疫相關物質的增加，對於運動者的免疫功能當然會有影響**。

運動有可能增加疾病的發生？

在正常的生理狀態之下，人的肺部微血管有很多的白血球隱藏在內。當呼吸空氣時，空氣內如有病原菌，則會很快地被這些常駐的白血球吞食。藉以維持肺部的健康。運動時呼吸量會同時增加，此時，進入呼吸道的細菌或病毒量也會增加，也就增加受到感染的機會。因此，運動時必須選擇空氣清新，人煙稀少的地方，較符合衛生的原則。另外，氧氣消耗量的增加會伴隨「氧合壓力」的增加，而引起局部肺組織的發炎及破壞。如果有氣道過敏的患者，在做劇烈的運動之後，不僅氣道的超氧離子的產生會增加，再加上水分流失太多的結果，容易誘發**氣喘或過敏性鼻炎**的發作。

運動也有可能會增加**腸胃道的感染機率**。由於運動時會使新陳代謝旺盛，氧合離子的增加，壓力引發自律神經傳導因子的增加，及副腎皮質和髓質荷爾蒙的增加，這些因素會使胃腸道上皮細胞的通透性增加。而使腸內細菌或是病毒易於入侵腸黏膜。又因血中副腎皮質荷爾蒙（類固醇）的增加，而使得身體對病原菌的抵抗力降低。

細胞內新陳代謝的進行需仰賴呼吸作用而產生能量。但是細胞的呼吸可以分為「有氧呼吸」及「無氧呼吸」。**有氧呼吸**對細胞產生能量的效率比較好，而且產生較少的氧化代謝物或超氧離子。反之，**無氧呼吸**的能量產生較少，而氧化代謝物的產生較多。運動的劇烈程度會導引細胞走向有氧或無氧呼吸。因此，比較不劇烈的有氧運動，對細胞及免疫系統功能的影響，應該會比劇烈的無氧運動少。至於如何運動，宜請教體育專家或運動生理學家。

免疫系統的另一個重要功能，就是警覺身體的「危險信號」並加以反應。運動時免不了會有組織的傷害及細胞的死亡。因此，組織的傷害愈大，免疫反應的強度也愈強。至今，運動免疫學的最重要科學根基，是依據葛里森（Gleeson）等人在2005年的研究發現。論文中指出，運動之後會降低免疫細胞表面類鐸受體（toll-like receptors, TLRs）中，TLR_1、TLR_2及TLR_4的表現。TLRs是先天性的免疫系統用來偵測環境中的病原菌、外源性或內因性的DNA及RNA、寄生蟲、病毒、熱休克蛋白質……等細胞膜上的受體。如果運動之後TLRs降低，則對環境中的病原菌的偵測能力便降低，因此也就容易受到感染。特別是上呼吸道及腸胃道的感染。另外一個重大的運動免疫學的發現是，骨骼肌肉會分泌IL-6、IL-8及IL-15來參予免疫、發炎及新陳代謝的調控。

結語

適度的運動可以增加心、肺的耐力及增強免疫力，以減少上呼吸道的感染機會。但是，過度的運動則會減少免疫細胞表面TLRs的表現，增加副腎髓質及皮質荷爾蒙和IL-6的產生，使得引起細胞性免疫及發炎反應的功能降低。最後導致病原物感染的增加。最近的研究也發現適度的運動可以減少慢性發炎性疾病的發生，包括血管硬化及因素林抵抗性增加引起的第II型糖尿病。總結，運動免疫學的發展仍有相當大的空間，有待進一步的研究。

41

營養與免疫的相關性

林璧鳳（台灣大學生化科技學系教授）

從均衡的飲食中，獲得完整的營養，可以讓我們的身體機能運作更順暢；許多的臨床研究中發現，飲食中的營養素若缺乏或不均衡時，將會使得免疫力降低，因而容易感染疾病，對於身體的復原也會較緩慢。其實現代人幾乎每天都是美食當前，但外食與速食文化之下，營養不均衡是最嚴重的問題，目前已知，我們較容易缺乏的營養素包含蛋白質、維生素A、D、C、E和礦物質鋅、鐵、鎂、銅、硒等。營養素的缺乏會降低體內活性與功能，自然就會影響身體健康了。

蛋白質缺乏對健康的影響

所有的生物的結構，主要是由蛋白質構成的，而且，蛋白質以不同的形式，參與維持生命的重要化學反應；無論是人體中的肌肉、韌帶、肌腱、器官、腺體、指甲、頭髮及體液等，都是由蛋白質所構成；骨骼生長發育必須蛋白質、酵素、荷爾蒙、肌基因等，也都包含各式蛋白質。

所以如果蛋白質缺乏，會抑制血液單核球分泌促發炎細胞激素IL-1和TNF（腫瘤壞死因子）等的能力，減弱自然免疫力的活化；蛋白質營養不良常發生在幼童及老年人，以幼童來說，如果蛋白質長期缺乏，會影響成長中的免疫器官發育，因而降低免疫細胞活性和整體的免疫功能。

至於老人家若蛋白質缺乏，由於免疫系統調節，會隨著老化的過程產生失調的現象，其主要是免疫細胞族群分布的改變，例如T細胞和B細胞，減少成熟與未成熟免疫細胞的比例、第一型與第二型T輔助細胞的比例等；因此，老年人蛋白質缺乏，周邊血液淋巴球數目會變少，分泌活化免疫細胞的細胞激素例如：IFN（干擾素）或IL-2的能力也會下降，對外來抗原引發的免疫反應將變弱；所以老年人蛋白質營養不良時，更會降低淋巴球增生、細胞激素分泌以及對疫苗產生抗體等的能力。目前我國衛生署制定的成人蛋白質每日建議攝取量為成人每公斤體重0.9g，老年人每公斤體重1.0g，表示老年人對蛋白質需求的重要性。因此，乘以體重後，老年人平均每天約須攝取50至60g的蛋白質。

胺基酸的重要性

胺基酸（amino acid）是構成蛋白質的化學單位，主要有20種不同的胺基酸化學構造，只要缺一種胺基酸，也就是沒有適當胺基酸的組合，便無法組成需要的蛋白質。常見於蛋白質的胺基酸大約有22種，它們構成存在各生物體內許多種不同的蛋白質。

在胺基酸方面，麩胺醯胺（glutamic acid）的補充對巨噬細胞、中性白血球及淋巴激素活化殺手細胞的吞噬活性都有促進作用，能增強毒殺細菌功能，對手術後病患的T細胞增生能力也有助益；此外，研究也發現，麩胺醯胺的補充對燒燙傷或手術後病人復原時的免疫力，有增進的作用。

而精胺酸（arginine）的補充，對手術後患者和癌症病人的自然殺手細胞和淋巴激素活化殺手細胞的毒殺作用，也有促進作用，並能促進IL-2分泌和脾臟細胞的增生；牛磺酸（Taurine）則可抑制巨噬細胞與中性白血球等促發炎反應細胞生成一氧化氮、前列腺素E2與TNF等促發炎介質，以緩和發炎反應的進行，因此對發炎反應的調控十分重要。

高油飲食的影響

由國民營養調查顯示，近二十年來的國人飲食攝取，已趨向西化飲食形態的高油飲食，已有許多研究指出高油飲食與慢性病有關，不利於健康。在免疫功能方面，高油飲食會抑制淋巴球增生、降低毒殺性T細胞和自然殺手細胞活性、IL-12及TNF-等分泌量和抗體生成。人體試驗的研究也指出，若將飲食中油脂攝取量由佔總熱量的40%降為25%時，可增加周邊血液淋巴球對刺激的增生反應，提升自然殺手細胞的活性；也就是說，攝取高量的不飽和油脂會降低免疫反應，故目前衛生署建議的油脂攝取熱量，宜低於30%總熱量，而飽和脂肪酸、單元不飽和脂肪酸與多元不飽和脂肪酸的比例為1: 1~1.5: 1。

此外，除了降低高油飲食的攝取量，也應維持低量的魚油攝取；從人體補充魚油的試驗顯示，魚油補充對周邊血液淋巴球的活性作用，低劑量時利於淋巴球增生，高劑量時反而產生抑制，因此魚油攝取量不宜過量。的確，補充魚油雖可抑制發炎反應，但過量反而會降低免疫力；根據人體試驗指出，補充大於1g的高量魚油，短期雖可抑制發炎反應，但長期服用效果反而不明顯，還會抑制免疫反應；所以提醒補充魚油時宜謹慎，最好的方式仍是由飲食中的魚類攝取。

維生素缺乏對健康的影響

至於維生素與礦物質的攝取，缺乏或過量都會造成免疫力下降，故建議應在每日營養素建議攝取量的範圍補充即可。以下進一步分析：

■抗氧化營養素

抗氧化營養素可達到增進免疫力的效果，所以老年人不妨可多增加補充；這是因為氧化壓力會使生物體抗氧化的能力低下，影響對疾病的抵抗能力，例如產生發炎反應的吞噬細胞所釋放的過氧化氫，會抑制鄰近T細胞的免疫反應，因此抗氧化營養素缺乏的人，免疫力也多會下降。

■維生素C

維生素C對免疫力的影響，除抗氧化功能外，還可分解組織胺，消除組織胺對免疫反應的影響。

■維生素E

維生素E可影響前列腺素釋出的含量，進而影響免疫平衡調控；維生素E缺乏時，會抑制T細胞增生和第一型T輔助細胞細胞激素IL-2的分泌，並且促進發炎反應介質的生成，因此適量補充維生素E，可促進淋巴球增生，但不宜過量，高量反而會抑制IL-2分泌，不利於免疫調節。

■維生素A

維生素A對免疫力的影響，依據以前的報告，開發中國家罹患痲疹、百日咳及肺結核等的嬰幼兒，也常有維生素A缺乏的情形；而罹患乾眼症的兒童，即使是輕微的維生素A缺乏，也較容易罹患呼吸道感染和腹瀉，且罹患率為健康兒童的2至3倍，死亡率更高達四倍，顯示維生素A不足，的確會使免疫力減弱。

■維生素B6

維生素B6缺乏對免疫力的影響，以前的研究指出，維生素B6攝取不足，或服用藥物會拮抗維生素B6的人，不僅周邊血液淋巴球數目會降低，抗體量有時也會降低；此外，因為酗酒和尿毒症所引起的維生素B6缺乏的病患，免疫反應也會受到抑制，呈現較低的淋巴球活性，但若適時補充維生素B6，則可回復其淋巴球活性。

礦物質缺乏對健康的影響

礦物質缺乏時會抑制免疫器官發育、免疫細胞活性及抗體的生成；對住院的嚴重燒燙傷病人補充微量礦物質，可增加對感染的抵抗力，利於傷口修復，並減少住院時日；但礦物質若補充過量極易產生毒性，故須注意補充的劑量。

以礦物質鋅為例，鋅是胸腺分泌一種稱為胸腺素（thymulin）的荷爾蒙中，不可或缺的輔因子，而胸腺素是免疫細胞發育所必需的元素，需要有鋅的存在才具有活性；故缺乏鋅時，將會使免疫細胞，如輔助型細胞與毒殺型T細胞的比例下降，但只要適時補充鋅即可回復；此外，鋅缺少時也會抑制第一型T輔助細胞細胞激素IL-2和IFN的分泌，進而影響第一型和第二型T輔助細胞的平衡，使免疫反應易傾向與過敏免疫反應有關的第二型免疫途徑；缺鋅也會增加促發炎性細胞激素IL-1的分泌，不利於過敏免疫反應；缺鋅還會抑制自然殺手細胞的活性，這可能與細胞激素IL-2的減少有關。

過敏免疫與第一型和第二型免疫的平衡調控有關，飲食營養也會影響兩者免疫細胞的活性，以及免疫平衡的調控。除上鋅以外，適量補充核苷酸也會影響Th1和Th2的平衡，由致敏動物模式顯示核苷酸提升第一型的免疫反應。反之，目前研究指出，服用抗寄生蟲藥物同時補充維生素D_3可增加抗原特異性過敏抗體IgE含量，意即補充維生素D_3可促進第二型免疫反應，而有助於寄生蟲感染治療，卻也可能不利於第二型傾向的過敏免疫反應。

此外，有報告指出益生菌、三萜類、蔬果都富含有抗發炎成分，有益於減緩過敏免疫反應，所以說均衡的飲食營養，對過敏免疫的調控，是一項值得深入研究探討的課題。

#【特別收錄】

42

認識流感

兼談全球大流行的H1N1新流感

張峰義（三軍總醫院內科部主任）

前言

前兩天筆者從醫院下班，內人告訴筆者早上因為女兒忘了帶便當，她要幫女兒送便當進教室時，被警衛在校門口攔下，連留證件帶上自備口罩以及用了酒精性乾洗手液消毒手部後，都還不行進校門，只能透過廣播通知小孩來校門口領取。內人只好放下便當袋離開。

走沒幾步，卻聽到一位爸爸激動的大吼：「怎麼樣！我偏偏要幫我女兒背書包進教室！書包這麼重，我就是幫她背到教室，我為什麼不能進校園，孩子是送來集中營嗎……」

現今網路資訊發達，醫學知識取得容易，但從2009年5月台灣第一例本土H1N1新流感確定診斷迄今，各式平面媒體或電子媒體報導卻令人感受到彷彿回到2003年SARS期間的恐慌無助。

從教育的三大步驟：認識、態度和技能來談什麼是新流感，或能增加一般大眾及單位管理者對新流感之認識，希望即使秋冬疫情嚴峻，民眾之身心靈也能平安度過。

認識

流感和普通感冒都是由病毒所引起，二者的症狀非常相似，不易區分。**普通感冒**可由許多種病毒感染而引起，這些如常見的鼻病毒、人類冠狀病毒、呼吸道融合病毒，主要侵襲人體的上呼吸道細胞造成鼻竇、咽、喉等部位的黏膜腫脹發炎，因此除了有些會有發燒、頭痛、倦怠等一般性症狀外，主要的症狀都在上呼吸道，例如造成鼻塞、流鼻水、打噴嚏、咳嗽、喉嚨痛。這些症狀大多比流感病毒所造成的季節性流感或H1N1新流感的症狀輕微。**流感病毒**除了造成呼吸的症狀外，全身性的症狀如發燒、頭痛、肌肉酸痛、倦怠感、或胸部不適，都比普通感冒嚴重許多。流感病毒本身的致病力及毒性，或產生併發症的機會比普通感冒嚴重，尤其在嬰幼兒、老人或有慢性疾病的患者。新流感由於具備高傳染性加上可以侵犯所有年齡層，故容易產生群聚感染。

1918年曾經發生全球流感大流行，造成全世界上億人死亡，雖然很多科學家全心全力投入找尋致病原因，但一直無法找到，直到1933年才由英國人史密斯（Wilson Smith）發現H1N1流感病毒，確定流感的真正病因。H代表血凝素；N代表神經氨酸酶。流感病毒是一種造成人類及動物流行性感冒的RNA病毒，屬於正黏液病毒科，在世界各地常會有週期性的大流行。

流感病毒分為A型、B型及C型三種流感病毒。A型流感病毒以病毒表面突起的兩種蛋白質（血凝素及神經氨酸酶）來區分。A型病毒共有16種不同的血凝素以及9種不同的神經氨酸酶，命名上便以H1N1，H2N2依此類推來命名。**目前確定H1N1、H2N2、H3N2這3種會感染人類。另外H5N1禽流感及其他禽流感也會造成較小規模之人類感染，但人與人間的互相傳染較不容易**，世界各地衛生部門仍密切關注H5N1引起大流行的可能性。

A型病毒最常見引起世界大流行及地區流行。A型流感病毒在不同物種間的傳播以及重組曾見於豬、人、鴨及火雞，引起1957年及1968年世界大流行的人類流感病毒均含有類似禽類流感病毒的基因片斷。A**型流感病毒是變異最為頻繁的一個類型**，每隔十幾年就會發生一個抗原性大變異，產生一個新的病毒株，這種變化稱作「抗原轉變」；在A型流感亞型內還會發生抗原的小變異，其表現形式主要是抗原胺基酸序列的點突變，稱作「抗原漂移」。近百年歷次A型流感大流行都可發現是由於人A型流感病毒和禽流感病毒同時感染豬後發生基因重組導致病毒的變異。1957年流行的亞洲流感病毒（H2N2）基因的八個節段中中有三個是來自鴨流感病毒，其餘五個節段則來自H1N1人流感病毒。而2009年這一次的H1N1新流感8段基因中分別有1段基因來自H3N2人季節性流感、2段基因來自歐亞豬流感病毒、3段基因來自美洲豬流感病毒、以及2段基因來自禽流感病毒，產生病毒血凝集素及神經安酸酶抗原性大變異。由於這類抗原轉變的時間急速，大多數人體的免疫系統都沒有新流感病毒的記憶，因此能造成大流行。

流感病毒的傳播模式主要是**飛沫傳染**及**接觸傳染**，空氣傳染的方式是極端少見。因此所有的防止傳播的方法不外乎是阻絕飛沫及避免接觸，實務上所採用的方法就是**隔離**、**外科口罩**、**洗手**等方法。

預防流感的方法，最重要的是**疫苗**，就像我們每年施打的季節性流感疫苗。但是對於H1N1新流感的疫苗還在積極的研發中，預計2009年10月以後才可能開始施打。至於密切接觸過流感病患的人，在特定的情況下（如醫護人員未採防護措施）可考慮採用**抗病毒藥**（如克流感）以預防發病。

態度

首先要知道傳染病是一直存在世界的，要完全的根除或消滅是不可能的，它會和我們維持何種關係，端賴我們如何看待它。對於新流感過度恐慌會導致人與人之間的疏離、社會上各種活動、日常生活的不便以及經濟的衰退，但是疏於防患又可能造成太多疾病傳播的漏洞，造成疫情的不可收拾。急速大量病患會癱瘓社會和醫療照護系統。

在全球暖化及環境丕變的大環境下，傳染病流行因素早已變的更加複雜及無法準確預測，加上人類的天性就是喜歡群居，因此群聚感染是不可避免，病毒的傳播也沒有地域國界之分，理性且抱持尊敬的態度來面對新流感，小至每個人、每個家庭做好自我健康管理，大至學校、社區和軍隊做好團隊的健康管理，每個成員的健康都不疏漏，團體就能穩定的永續經營。

H1N1新流感的傳染力很強，但是絕大多數是屬於輕症，上學、上班的民眾，如有發燒、類流感症狀時，至少要居家休息數天，大部分病人是可以自己恢復健康的。然而，症狀一旦有變化，**如出現呼吸短促、呼吸困難、血痰或痰液變濃、胸痛、意識改變、持續高燒三天以上、低血壓或嚴重腸胃症狀等，一定要立即就醫**。

技能

所有的知識，都要透過教育學習來取得，但是知識必須要化為行動才能夠產生力量。在面對新流感一波波的攻擊之下，我們必須要有適當的管理和行動來預防和處裡它。

首先要能夠區分出得到流感的人並給予適當的治療及隔離約5至7天，好讓他不會再傳播其他人，由於流感症狀有時變化多端，有些人甚至症狀不太典型。因此任何人有呼吸道症狀，都應該注意咳嗽及打噴嚏的禮儀，在眾人面前應該戴外科口罩和不握手。如沒有口罩時，用手帕、衛生紙擋住口鼻，衣服衣袖也可暫時應急，防止咳出的病毒傳染到他人。一般健康的人則應該注意勤洗手，減少出入人潮擁擠、通風不良之場所。

每一單位，管理者每天都應清點單位成員有無發燒及其他類流感的症狀，有症狀的人一定要透過管理的方法和無症狀的人分開，如果做得到，盡量讓其回家靜養，避免其傳染其他人。每人都應該要減少指責他人而更加自我要求。

流感病毒在哪裡？其實它可能在我們任何人自己的身上，故有自覺的人就應做好自我管理。但是對於一些體弱和年齡小的孩童，他們自我管理的能力可能有所不足，就有賴家人、老師或單位的管理者負起管家的責任，照顧好每一單位的成員，避免自己所管理的單位發生群聚感染。

結論

經由上述認識、態度及技能的一次洗禮，您對新流感是不是比較知道如何防範、面對、處理及管理了呢？

Dr.Me健康系列115

過敏免疫全書

總 策 劃／張德明
作　　者／中華民國免疫學會醫師群
選　　書／林小鈴
責任編輯／潘玉女・陳慧淑

業務副理／羅越華
行銷經理／陳雅雯
總 編 輯／林小鈴
發 行 人／何飛鵬
出　　版／原水文化
台北市民生東路二段141號5樓
電話：（02）2500-7008　傳眞：（02）2502-7676
網址：http://citeh2o.pixnet.net/blog E-mail：H2O@cite.com.tw
發　　行／英屬蓋曼群島商家庭傳媒股份有限公司城邦分公司
台北市中山區民生東路二段141號2樓
書虫客服服務專線：02-25007718；02-25007719
服務時間：週一至週五9:30~12:00；13:30~17:00
24小時傳眞服務：02-25001990；02-25001991
讀者服務信箱E-mail：service@readingclub.com.tw
郵撥帳號／19863813；戶名：書虫股份有限公司
香港發行／香港灣仔駱克道193號東超商業中心1樓
電話：852-25086231 傳眞：852-25789337
電郵：hkcite@biznetvigator.com
馬新發行／城邦（馬新）出版集團
11, Jalan 30D/146, Desa Tasik, Sungai Besi,
57000 Kuala Lumpur, Malaysia.
電話：603-9056-3833 傳眞：603-9056-2833 電郵：citecite@streamyx.com

美術設計／鄭子瑀
製版印刷／卡樂彩色製版印刷有限公司
初　　版／2009年11月17日
定　　價／350元
ISBN 978-986-6379-06-2

國家圖書館出版品預行編目資料

過敏免疫全書 / 中華民國免疫學會醫師群合著.
-- 初版.-- 臺北市：原水文化出版：
家庭傳媒城邦分公司發行, 2009.11
面；　公分. --（Dr.Me健康系列；115）

ISBN 978-986-6379-06-2（平裝）

1.免疫學　2.過敏性疾病　3.免疫性疾病
4.通俗作品

369.85　　98012228